PAKKAL

LES GUERRIERS CÉLESTES

MAXIME ROUSSY

Pakkal
Les guerriers célestes

LES NTOUCHABLES

Les Éditions des Intouchables bénéficient du soutien financier de la SODEC, du Programme de crédits d'impôt du gouvernement du Québec et sont inscrites au Programme de subvention globale du Conseil des Arts du Canada.

Nous reconnaissons l'aide financière du gouvernement du Canada par l'entremise du Programme d'aide au développement de l'industrie de l'édition (PADIÉ) pour nos activités d'édition.

LES ÉDITIONS DES INTOUCHABLES
816, rue Rachel Est
Montréal, Québec
H2J 2H6
Téléphone: (514) 526-0770
Télécopieur: (514) 529-7780
www.lesintouchables.com

DISTRIBUTION: PROLOGUE
1650, boulevard Lionel-Bertrand
Boisbriand, Québec
J7H 1N7
Téléphone: (450) 434-0306
Télécopieur: (450) 434-2627

Impression: Transcontinental
Infographie: Roxane Vaillant et Geneviève Nadeau
Maquette de la couverture et logo: Benoît Desroches
Illustration de la couverture: Boris Stoilov

Dépôt légal: 2006
Bibliothèque et Archives nationales du Québec
Bibliothèque nationale du Canada

ISBN-10: 2-89549-241-7
ISBN-13: 978-2-89549-241-2

Résumé des péripéties précédentes

Lorsqu'il revient de Calakmul, blessé, Katan apprend à Pakkal et à ses compagnons que l'armée de Xibalbà est prête à contre-attaquer Palenque. Il parle d'un géant à tête de tortue qu'il a rencontré au cours de son expédition. Zipacnà affirme qu'il s'agit de son frère cadet, Cabracàn, dieu des Tremblements de terre, qui est d'une cruauté sans nom. Siktok le lilliterreux rappelle à Zipacnà que, même s'il est devenu doux comme un agneau, il a déjà su lui aussi faire preuve de méchanceté. Il raconte l'histoire des quatre cents guerriers qui avaient osé le défier. Pour se venger, Zipacnà les avait projetés dans le ciel où ils étaient devenus des étoiles.

Katan attend de se retrouver seul avec Pakkal pour lui révéler qu'un être du Monde inférieur à tête de hibou, Muan, l'a chargé de lui transmettre un message : il veut l'anéantir.

Katan et Kinam, le chef de l'armée, pressent Pakkal de faire évacuer la cité avant la riposte de Xibalbà. Les soldats sont trop peu nombreux et ils craignent un véritable massacre. Le jeune prince de Palenque s'y oppose catégoriquement, affirmant qu'il trouvera de l'aide. Les deux guerriers sont sceptiques.

Pak'Zil apprend enfin à Pakkal l'utilité de la lance de Buluc Chabtan restée dans le Village des lumières: elle seule peut abattre un seigneur de la Mort. Il s'avère donc impératif de la récupérer.

Alors que Pakkal et Kalinox escaladent le temple qui abrite la dépouille d'Ohl Mat, à l'autre bout de la cité, Zenkà, Pak'Zil et Laya tentent de faire prendre conscience à Zipacnà de la force qu'il a en lui, une force qui peut lui faire soulever une montagne. Ils sont interrompus par Cabracàn, venu chercher son frère. Une bataille s'engage entre les deux géants. À leurs risques et périls, Zenkà, Nalik, Pak'Zil et Laya se mettent de la partie.

Pendant que Pakkal, au sommet du temple, fait part de ses appréhensions à Kalinox au sujet de Chini'k Nabaaj, son Hunab Ku, ils sont interrompus par Vucub-Caquiz, le père des deux géants qui s'affrontent. Il tient sans ses serres un homme qu'il dépose aux pieds du prince. En le reconnaissant, ce dernier a un choc: il s'agit de Serpent-Boucle, roi de Calakmul, lequel a tué son cher grand-père.

C'est la consternation: Cabracàn a avalé Nalik. Vucub-Caquiz met fin à la dispute entre les deux frères. Zipacnà maintient qu'il veut défendre la Quatrième Création. Son père le prévient qu'il périra.

Dans le *nahil ah'*, Pakkal consulte Ohl Mat, son grand-père. L'heure est grave, Xibalbà s'est attaquée au premier des treize niveaux du Monde supérieur. Ohl Mat lui donne un seul conseil : parler à Nalik. Il lui remet également un jade intemporel qui permet d'arrêter le temps. Mais le garçon doit être très prudent, car la pierre fait vieillir très rapidement la personne qui l'utilise. Avant de partir pour le Village des lumières afin de remettre la main sur la lance de Buluc Chabtan, Pakkal y a recours pour maîtriser le chauveyas qui va lui servir de moyen de transport. Il constate que le jade n'a aucun effet sur Siktok. Heureusement, puisque celui-ci lui sauve la vie.

Zenkà accompagne le prince pour le voyage. Au-dessus de Yaxchilan, la chauve-souris géante qui les transporte est heurtée par un lourd objet. Déstabilisé, Zenkà laisse tomber sa lance. Les deux voyageurs sont obligés de se poser dans la cité déserte. Le guerrier de Kutilon part à la recherche de son arme, tandis que le prince reste auprès du chauveyas. Pakkal est attaqué par Muan, le serviteur d'Ah Puch. Zenkà vient à sa rescousse. Le prince parvient à atteindre le chauveyas et à décoller. Le guerrier de Kutilon est aux prises avec Muan qui lui inflige de sévères blessures. La créature à tête de hibou a le dessus. Il annonce au prince que, s'il veut revoir son ami, il doit, en échange, lui remettre la lance de Buluc Chabtan.

Après avoir quitté Yaxchilan, Pakkal est forcé de s'arrêter. La peur de rencontrer une autre fois Chini'k Nabaaj le tétanise. Dans le bruit d'une chute, il reconnaît la voix de son maître décédé, Xantac. Celui-ci le réconforte et lui conseille de ne faire qu'un avec ses peurs.

Le prince atterrit dans le Village des lumières et retrouve la lance à l'endroit où il l'avait laissée. Les feuilleux tentent de l'empêcher de la reprendre, mais n'y arrivent pas. Pakkal parvient à mettre la main dessus et à se débarrasser de ses poursuivants à l'aide, notamment, des éclairs de Chac. Avant de partir, il délivre une ombre prisonnière des feuilleux qui le supplie de libérer les villageois de l'emprise de Ferox, chef des feuilleux. Même s'il sait qu'il n'a pas beaucoup de temps devant lui, Pakkal décide de leur venir en aide. L'ombre lui indique où se rendre pour affronter Ferox.

Au milieu du village, le garçon envoie une décharge électrique sur la statue qui dissimule l'entrée du passage souterrain menant à Ferox. L'être qu'elle représente prend vie. Il se nomme Mechakal. Le petit Maya parvient à l'amadouer pour qu'il pousse le monument.

Pakkal pénètre alors dans le trou et rencontre Chini'k Nabaaj qui lui propose une alliance. Ils sont interrompus par l'arrivée de Ferox. Chini'k Nabaaj observe la bataille entre le prince et le chef des feuilleux. Pakkal vient à bout de son adversaire, puis est attaqué par son double ténébreux. Après s'être emparé du jade, ce dernier oblige Pakkal à lui donner sa ceinture et à mettre la sienne. Chini'k Nabaaj se désagrège alors en une fumée noire que le prince est forcé d'aspirer. Pakkal, rompu de fatigue, s'endort.

Ce sont les habitants du Village des lumières, libérés à la suite de la mort de Ferox, qui le sortent de la pièce souterraine. Pour le remercier de les avoir sauvés, ils lui offrent un pot d'onguent aux vertus mysté-rieuses qu'il devra appliquer sur les ongles de ses doigts ou de ses orteils.

Pakkal revient à Yaxchilan pour secourir Zenkà. Il retrouve son ami attaché au mur d'un passage souterrain, gravement blessé. Muan apparaît. Le prince lui enjoint de libérer Zenkà en échange de la lance de Buluc Chabtan. Mais il ne tarde pas à comprendre que le serviteur d'Ah Puch n'a nulle intention de tenir parole, n'hésitant pas à achever le guerrier de Kutilon. Après une longue lutte au cours de laquelle il se fait malmener par le démon, Pakkal sent qu'il perd la partie. C'est alors qu'il se transforme en Chini'k Nabaaj et terrasse Muan. Lorsqu'il constate, avec stupeur, ce qu'il est devenu, le garçon s'enfuit dans la forêt. Il se retrouve entouré de jaguars qui ne s'avèrent aucunement menaçants. Chini'k Nabaaj redevient Pakkal.

Surgit alors un jaguar plus gros que les autres. Il s'agit de Takel, maîtresse des jaguars. Muan ayant tué le chauveyas sur lequel il se déplaçait, Pakkal retourne à Palenque sur le dos de Takel, après avoir offert des funérailles de fortune à Zenkà.

Entre-temps, le ciel de Palenque s'est couvert de chauveyas. Kinam est terriblement inquiet. Qu'attendent donc les chauves-souris géantes pour attaquer? Or, si elles le font, ses troupes sont si peu nombreuses que Xibalbà n'en fera qu'une bouchée.

Lorsqu'ils tentent d'entrer dans la cité, Pakkal et Takel sont assaillis par des dizaines de chauveyas voulant les capturer. Puis Cama Zotz, dieu Chauve-souris, s'en mêle. Takel fait appel à ses jaguars. Le prince affronte Buluc Chabtan, dieu de la Mort soudaine, qui le blesse avec son feu bleu et parvient à récupérer sa lance. Pakkal n'a pas le temps de s'apitoyer sur son sort. Il s'empresse de regagner Palenque où Kinam le prévient de l'imminence de l'attaque de Xibalbà et du peu d'hommes dont il dispsose pour défendre la cité. Avec Laya, le prince se rend auprès de Serpent-Boucle pour lui demander s'il sait ce qui est arrivé à sa mère. Il se transforme, devant la princesse, en Chini'k Nabaaj et se sauve dans la Forêt rieuse où il passe la nuit.

À l'aube, le lendemain, afin de trouver un moyen pour entrer en communication avec Nalik, comme le lui a conseillé son grand-père, Pakkal pénètre dans le Groupe de l'Arbre et pose les pieds sur le *tunich*. Puis, dans son esprit, il voit Nalik.

Tout s'était passé très vite. Nalik était en train de combattre Cabracàn, le géant à tête de tortue, lorsque, sans crier gare, celui-ci l'avait empoigné et l'avait englouti. Il était tombé dans le vide un long moment, se cognant sans cesse contre les parois molles et humides de l'œsophage de la bête. Puis, tête première, il avait douloureusement atterri sur une surface dure.

C'était l'obscurité absolue et il n'y avait aucun son, hormis celui de sa respiration irrégulière. L'odeur était si épouvantable que Nalik dut respirer par la bouche. Il sentait tout de même l'air putride lui irriter la gorge. De peine et de misère, il se releva. Le sol était gluant et aucunement plat. Comme lorsqu'il était jeune et qu'il jouait à se déplacer les yeux fermés, il tâta ce qui l'entourait: des choses dures, comme des os, d'autres visqueuses.

Tout se mit à trembler autour de lui. Le garçon se dit que Cabracàn devait marcher. Même si cela l'écœurait au plus haut point, il se résolut à s'asseoir. Les secousses durèrent longtemps. Nalik avait une terrible nausée et espérait ardemment que ce manège prendrait fin rapidement. Les espaces clos ne lui avaient jamais fait perdre ses moyens, au contraire; il aimait bien s'isoler dans des endroits impossibles où personne n'aurait pu le trouver. Il avait cependant la possibilité d'en sortir lorsqu'il le désirait. Dans la situation où il se trouvait, il n'était pas du tout certain qu'il allait revoir un jour les rayons de Hunahpù.

Le garçon sentit soudain un pincement au pied. Il le leva prestement. Puis ce fut comme s'il venait de se faire piquer par une guêpe sur son autre pied. Posant instinctivement sa main sur l'endroit qui lui faisait mal, Nalik toucha *quelque chose* de long et de poilu, de la grosseur d'un chiot. Effrayé, il retira sa main. Même si Cabracàn marchait toujours, il se redressa et mit le pied sur ce qui lui sembla être une autre bestiole. Ne pas voir ce qu'il y avait autour de lui le rendait fou. Pour évacuer la terreur qui le tenaillait, il ne put s'empêcher de pousser un cri. Il devait absolument se sauver. Bien qu'il ne vît rien, il se dirigea droit devant lui. Il fallait sortir de là. À tout prix.

La marche était périlleuse et chaque pas se terminait par une chute. Lorsqu'il tombait, des créatures poilues le mordaient. Il lui était de plus en plus difficile de se relever parce que les bestioles se faisaient toujours nombreuses. Un bruit aigu fracassa le silence. Nalik sentit, sur son corps, les petites bêtes paniquer. Un autre son se fit entendre. Cette fois, leurs pattes s'activèrent pour déguerpir.

Le garçon vit, en face de lui, deux points jaunes et lumineux avancer vers lui. Plus ils approchaient, plus ils l'aveuglaient. Ils s'immobilisèrent. Les deux faisceaux lui permettaient, pour la première fois, d'observer son environnement. Le sol était lisse et recouvert d'une substance gluante et noire. Nalik sentit que l'on tâtait ses cuisses. En baissant la tête, il vit des mains aux doigts surdimensionnés. Cinq fois plus longues que les siennes, au moins. Elles lui rappelaient un peu celles de Frutok, mais elles n'avaient pas d'ongles et étaient minces comme les ramilles d'un arbre.

Avec vigueur, il les écarta. La chose devant lui grommela. Nalik vit deux autres points lumineux venir vers lui. Puis d'autres. Il fut rapidement entouré par des créatures de petite taille. Elles avaient les yeux brillants, un corps d'une extrême maigreur et des doigts aussi longs que leurs jambes. Lorsqu'elles marchaient, leurs doigts couraient sur le sol à leurs côtés. Leur visage ressemblait à celui d'un Maya, mais, à la place du nez, il y avait deux trous. Et elles étaient presque toutes chauves.

Chaque fois qu'une main s'allongeait pour l'examiner, Nalik la repoussait de toutes ses forces. Les créatures se regardaient et exprimaient leur désaccord. Elles n'étaient pas agressives, juste curieuses, comme si elles n'avaient jamais vu un Maya comme Nalik.

Le garçon entendit, au-dessus de sa tête, un petit sifflement. Il leva la tête et constata que des dizaines de gigantesques vers poilus étaient accrochés aux parois. C'était l'un de ces animaux étranges qui l'avait mordu quelques instants auparavant, il en était persuadé.

– Ils attendent de voir si nous allons te manger. Ils vont se contenter des restes.

Une des créatures s'était approchée. Elle ne semblait pas différente des autres.

– Me manger ? fit Nalik, interloqué.

– De quel niveau viens-tu ?

– Niveau ? demanda le garçon.

La créature fit courir ses doigts sur la Fourmi rouge qui se laissa faire.

– Je n'ai jamais vu un spécimen comme toi. Jamais.

Ces doigts qui glissaient sur son corps indisposaient Nalik au plus haut point.

– Je viens de Palenque.

– Jamais je n'aurais cru qu'un jour je parlerais cette langue bizarre.

Le garçon était déconcerté. Il ne comprenait rien de ce que cette vilaine chose lui disait et le contact de ses doigts sur sa peau lui était de plus en plus désagréable.

– Tu es étrange.

Nalik se dit que c'était plutôt elle qui était étrange, mais il garda ce commentaire pour lui-même, ne voulant créer aucun incident diplomatique.

– Avant que l'on ne te dévore, dis-moi de quel niveau tu viens.

Les autres bestioles émirent des bruits aigus. Celle qui parlait avec Nalik leur répondit en produisant d'autres sons. La tête du garçon bourdonnait. Il sentait que, s'il ne trouvait pas un moyen de se sortir de cette impasse, il allait rapidement être transformé en repas.

– Mes camarades croient que tu es de Mitnal. Nous n'avons jamais mangé personne qui venait de cet endroit.

Nalik comprit que son étrange interlocuteur parlait des niveaux de l'Inframonde.

– Je ne suis pas du Monde inférieur, répondit-il. Je viens du Monde intermédiaire.

– Le Monde intermédiaire ? Qu'est-ce donc ?

Là où la créature avait posé ses doigts, Nalik sentit de petites morsures. Il repoussa les mains sans les quitter du regard, se demandant par quoi il avait été mordu.

– Le Monde intermédiaire, expliqua-t-il, est le monde au-dessus du vôtre. Cabracàn vient du Monde inférieur. Moi, du Monde intermédiaire.

– Cabracàn, qui est-ce ? fit la créature en levant la main.

Lorsqu'il vit ce qu'il y avait au bout de chacun de ses doigts, Nalik sentit ses poils se dresser sur ses bras. Il avait effectivement été mordu.

Malgré le peu de lumière que les yeux des bestioles dégageaient, Nalik remarqua que, sur la pulpe de leurs dernières phalanges, il y avait une bouche parsemée de dents pointues. C'était par elles qu'il avait été mordu.

Les mains s'approchèrent de nouveau. S'il ne réagissait pas immédiatement, le garçon allait être englouti par ces monstres.

– C'est dans le Monde intermédiaire que j'ai été avalé par Cabracàn.

La créature cessa d'avancer ses mains. Nalik comprit que s'il voulait se donner du temps pour réfléchir à une façon de se sortir de ce pétrin, il avait intérêt à divertir son vis-à-vis qui semblait fort curieux.

– Nous sommes dans le ventre de Cabracàn, poursuivit-il. Vous êtes ici depuis longtemps?

– Depuis toujours. Qui est Cabracàn? demanda de nouveau la bête.

Le sol bougeait encore au rythme des pas du géant.

– Cabracàn est le dieu des Tremblements de terre. Vous vivez à l'intérieur de lui.

La créature se tourna vers ses camarades et lança des sons aigus auxquels les autres répliquèrent de la même façon.

– Nous croyons que tu inventes toute cette histoire afin de retarder le plus longtemps possible ton agonie, déclara-t-elle en levant encore la main.

– Non ! Je veux comprendre.

Nalik n'était pas reconnu pour parler beaucoup. C'était un solitaire qui ne s'exprimait que pour dire l'essentiel. Cependant, dans le tube digestif de Cabracàn, il eut l'intuition que seule sa parole pourrait le sauver. Cela ne lui était jamais arrivé auparavant, car il préférait généralement avoir recours à la violence plutôt qu'à la diplomatie. Il sentait que s'il provoquait ces bestioles en les agressant, elles n'allaient faire qu'une bouchée de lui. Plusieurs bouchées, en fait.

Ces créatures semblaient plus intelligentes qu'elles ne le paraissaient au premier abord. Nalik devrait user de perspicacité.

– Quel est votre nom ?

La chose fit avancer ses doigts sur les jambes du garçon qui, malgré la peur d'être mordu, s'abstint de réagir, se disant que cela pourrait être interprété comme un signe de bonne foi.

– Mon nom est Ta Nil.

Les doigts qui se promenaient sur Nalik lui donnaient la chair de poule. Cela lui prenait tout son courage pour ne pas se mettre à hurler.

– Pourquoi parlez-vous ma langue et pas les autres?

– Je suis celui qui connaît.

Des questions! Il devait trouver des questions à lui poser!

– Qui vous a appris notre langue?

– C'est Umab.

Nalik ne comprenait toujours rien à ce que la créature lui racontait.

– Qui est Umab?

– Umab est notre dieu. Celui qui t'a envoyé.

– Depuis combien de temps êtes-vous ici?

Les créatures se mirent à crier. Le jeune Maya pensa qu'elles manifestaient leur impatience. Il sentit des morsures qui, pour l'instant, étaient tolérables.

– Il y a longtemps que nous n'avons pas mangé. Nous allons maintenant te dévorer.

– Un instant! Vous devez savoir que vous êtes dans le ventre de Cabracàn. Il y aurait sûrement moyen, pour vous, d'en sortir.

Les morsures se firent plus fortes et Nalik ne put s'empêcher de repousser les mains. Mais, cette fois, parce que les dents étaient bien plantées dans sa peau, il ne put se dégager. Il vit les autres êtres aux yeux jaunes lumineux approcher et poser leurs doigts sur lui. Il devait fuir.

Même s'il était encerclé, le garçon décida de foncer droit devant lui, tête première. Les doigts de Ta Nil s'arrachèrent de sa peau, non sans provoquer une vive douleur. Nalik passa entre ses deux jambes, puis rampa aussi vite qu'il le put dans la substance visqueuse. Les monstres poussèrent des cris perçants. Le Maya ignorait s'il se déplaçait rapidement ou non, combien ils étaient et, surtout, où il s'en allait.

Cabracàn cessa de marcher, ce qui permit à Nalik de se relever et de se mettre à courir. Mais le sol était si glissant que, dès les premiers pas, il perdit l'équilibre et chuta. Il songea que les créatures à sa poursuite avaient des corps adaptés à leur environnement et qu'il ne leur faudrait pas beaucoup de temps pour le rattraper.

Il n'avait pas tort : au-dessus de lui, il vit deux yeux jaunes qui l'observaient.

– Laisse-nous te dévorer, dit Ta Nil.

Une de ses mains se posa sur la poitrine de Nalik. Celui-ci se démena pour se dégager, mais Ta Nil exerçait une forte pression qui le maintenait collé au sol. D'autres yeux apparurent.

C'est alors qu'il y eut un chuintement. Ta Nil retira immédiatement sa main et s'éclipsa, tout comme ses semblables. Le garçon se releva sur un coude, surpris par la tournure des événements. Le raffut, qui semblait provenir d'en haut, se fit de plus en plus intense. Nalik leva la tête. Il comprit rapidement pourquoi les êtres qui voulaient le manger avaient disparu aussi vite. Une formidable quantité de liquide se déversa sur lui. Il fut violemment soulevé du sol et se retrouva immergé dans ce qui lui semblait être de l'eau; visiblement, Cabracàn venait d'avaler une bonne lampée.

Nalik avait la réputation d'être un excellent nageur. Le plus rapide. Même Selekzin, le fils de Zine'Kwan, ancien grand prêtre de Palenque, n'avait jamais réussi à le battre, lui qui se vantait d'être le meilleur dans tous les sports. Cependant, tout bon nageur qu'il était, Nalik ne pouvait retenir son souffle plus d'une minute. Et comme il avait été surpris, il n'avait pas eu le temps de remplir ses poumons d'oxygène. Il devait rejoindre la surface, mais ne savait quelle direction prendre, la vague d'eau l'ayant complètement désorienté alors qu'il se trouvait de nouveau dans l'obscurité totale.

Le jeune Maya laissa échapper les dernières bouffées d'air que ses poumons contenaient. Son corps lui lançait un message clair : il devait respirer. Et vite !

L'angoisse et le malaise liés au manque d'oxygène disparurent subitement et laissèrent place à une certaine sensation de bien-être. Nalik ouvrit les yeux. Il était toujours dans l'eau, mais il n'était plus plongé dans les ténèbres : de la lumière provenait de tous les côtés.

Au loin, en nageant, il vit des individus approcher. Ils se placèrent autour de lui et, tout en faisant onduler leurs mains, ils restèrent immobiles et l'observèrent. C'étaient des Mayas, comme lui, de différents âges. Sauf qu'ils avaient tous une peau verdâtre dont quelques morceaux se détachaient. Nalik se rappela la fois où l'on avait retiré de la rivière Otulum le cadavre d'un vieil homme qui avait eu un malaise lors d'une baignade en solo. Le corps était resté quelques jours dans l'eau et avait commencé à se décomposer. Il ressemblait à celui des individus qui l'entouraient maintenant.

Puis surgit de nulle part un être à la poitrine et aux jambes couvertes d'écailles de poisson. Lorsqu'il remarqua ses mains palmées, le garçon le reconnut : c'était Buluk-Kab, le dieu des Inondations et des Noyades.

Adorant nager, Nalik avait beaucoup entendu parler de lui. Sa mère l'avait souvent mis en garde contre cette cruelle divinité qui, disait-on, apparaissait sans crier gare, attrapait les jambes des nageurs, traînait leur corps jusqu'au fond de l'eau et ne le relâchait qu'une fois vidé de son dernier souffle. Le jeune Maya n'avait jamais cru à ces histoires, convaincu qu'on les lui racontait seulement pour l'inciter à la prudence. Et même si un de ses oncles affirmait avoir déjà rencontré Buluk-Kab au pied d'une chute, Nalik s'en moquait, puisqu'il était de notoriété publique que cet homme était un fabulateur. Ne racontait-il pas qu'il avait à une époque fait partie de l'armée de Palenque, mais que personne n'était au courant parce qu'il était un espion? Et que, durant la guerre contre Calakmul, il avait été fait prisonnier, mais qu'il était parvenu à faire faux bond à ses geôliers? Son oncle n'avait même jamais mis les pieds dans cette cité!

Nalik réalisa que si Buluk-Kab était à ses côtés, cela signifiait qu'il se noyait. Il ne devait pas le laisser lui mettre la main dessus. Il remua ses bras plus énergiquement. Il essaya de se diriger vers le haut, mais les noyés autour de lui l'en empêchèrent en s'accrochant à lui. Ils bougeaient, dans l'eau, avec beaucoup plus d'aisance que Nalik.

Alors que Buluk-Kab allait s'emparer de ses jambes pour le tirer vers le bas et sceller son sort, le garçon sentit qu'on lui agrippait le cou avec vigueur. Puis, avec autant de force, il fut soulevé et perdit connaissance.

Lorsqu'il se réveilla, il vomissait de l'eau. Il tentait par tous les moyens de respirer, mais cela lui était très difficile.

– Vas-y, inspire profondément, mon fils.

Couché sur le côté, Nalik sentait qu'on lui donnait des tapes dans le dos. Après avoir évacué une quantité d'eau qui lui sembla phénoménale, il parvint enfin à prendre une bouffée d'air. Il se retourna sur le dos.

– Ça va mieux, mon fils?

Au-dessus de lui se tenait un homme aux cheveux longs et sales. Il avait dans sa main une torche de feu bleu.

– Je ne suis pas votre fils, dit Nalik avant de prendre une autre profonde inspiration.

– Je le sais bien, répondit l'homme en ricanant.

Avec hésitation, Nalik prit la main que l'inconnu lui tendait. Ce dernier le souleva. Pris de vertige, le garçon dut se remettre à l'horizontale.

– Tu as failli y passer. Cela va demander quelque temps avant que tu puisses marcher. Repose-toi, je ne suis pas pressé.

L'homme rit de bon cœur. Nalik ne trouvait pas cela drôle. Tout était obscur autour de lui, hormis le feu bleu. Il se demanda où il était lorsqu'il sentit le sol bouger : il était toujours dans le ventre de Cabracàn.

Le jeune Maya entendit des bruits d'éclaboussures. Puis il lui sembla que des dizaines de mains lui empoignaient les jambes. On le tirait.

– Non ! fit l'homme en lui saisissant les bras.

Nalik ne savait pas ce qu'il se passait. Chaque extrémité de son corps allait dans un sens différent ! En baissant la tête, il vit que les noyés tentaient de le ramener dans l'eau. Il secoua ses jambes avec véhémence et parvint à se défaire de leur emprise. Toujours en le tirant, l'homme le mit à l'abri.

– On doit fuir, mon fils. Cet endroit n'est pas sécuritaire.

Il aida Nalik à se relever et passa un bras par-dessus ses épaules. Tenant la torche de feu bleu dans les airs, il fit quelques pas avant de tomber nez à nez avec Buluk-Kab.

– Pas encore toi ! s'écria-t-il.

Il tendit la torche de feu bleu pour le faire reculer. Cependant, le dieu ne fut aucunement impressionné. Alors que ses lèvres bleutées esquissaient un sourire, il plaça sa main palmée au-dessus de la flamme. Celle-ci n'avait aucun effet sur lui. Subitement, l'homme lui flanqua un coup de pied sur le genou et un coup de torche sur la tête.

Nalik et lui parcoururent plusieurs mètres, puis rencontrèrent de nouveau des noyés. L'inconnu avança sa torche afin d'évaluer le nombre d'assaillants : ils étaient des dizaines !

Sans quitter les noyés du regard, il s'adressa à Nalik.

– Ne bouge pas, mon fils.

L'homme leva les bras et dit :

– Je vois… je vois un singe hurleur géant.

– Pardon ? demanda Nalik.

Les noyés approchaient dangereusement.

– Je vois un singe hurleur géant, répéta l'homme. Et ce singe nous protège, mon ami et moi.

Même s'il ne connaissait pas très bien l'environnement dans lequel il se trouvait, le jeune Maya savait qu'il ne pouvait pas y avoir de singe hurleur dans les parages. Encore moins un singe hurleur géant, puisque cela n'existait pas !

– De quoi parlez-vous ? demanda-t-il, inquiet.

À cet instant, Nalik vit une masse noire bondir par-dessus lui.

En raison du peu de lumière que dégageait la torche de feu bleu de l'inconnu qui l'avait secouru, Nalik ne voyait pas très bien ce qu'il se passait. Mais il y avait bel et bien un singe hurleur géant qui, avec ses longs bras, se débarrassait des noyés en les repoussant. Il était aussi grand que l'homme et émettait des cris si tonitruants que le garçon dut se boucher les oreilles.

Furieux, le singe hurleur géant projetait les noyés, les uns après les autres, dans les ténèbres. Il ne s'attaquait pas à l'homme, et Nalik espérait que lorsqu'il poserait les yeux sur lui, il en ferait autant. Il semblait avoir une force hors du commun.

La bête ne fit qu'une bouchée des noyés. Lorsqu'il se fut assuré qu'ils étaient tous hors d'état de nuire, l'homme lui dit qu'elle pouvait disparaître. Le singe hurleur géant obtempéra et s'engouffra dans l'obscurité du ventre de Cabracàn.

Nalik n'en croyait pas ses yeux. Son sauveur se pencha pour l'aider à se relever.

– Comment avez-vous fait cela? lui demanda la Fourmi rouge.

– Je répondrai à tes questions plus tard, rétorqua-t-il. Pour l'instant, il vaut mieux s'en aller. Buluk-Kab ne tardera pas à revenir.

La marche parut longue à Nalik. L'homme, à l'aide de sa torche, s'orientait avec une facilité déconcertante au sein d'un dédale de corridors. Ils débouchèrent finalement dans un cul-de-sac.

– Ici, nous aurons la paix, dit l'inconnu.

Il n'y avait que quatre parois et un sol gluants. Le garçon doutait qu'ils seraient capables de survivre longtemps dans ce lieu. Il n'y avait ni eau, ni nourriture, ni abri et, surtout, aucune lumière qui aurait pu leur permettre de voir surgir un quelconque ennemi. Et s'ils étaient attaqués, ils n'auraient aucun endroit pour fuir.

– Je vois…, commença l'homme, je vois l'intérieur de ma maison.

Subitement, sous les yeux de Nalik, apparurent des chaises, une table, un hamac et des poteries. La Fourmi rouge s'approcha et mit la main sur un mur où, comme sur les trois autres, il y avait une torche de feu. Le mur semblait être fait de stuc, comme ceux d'une vraie hutte. Le jeune Maya était stupéfait.

– Comment… comment faites-vous?

L'homme s'assit sur une chaise et, d'un geste de la main, proposa à son invité de faire de même.

– Tu te sens mieux, mon fils?

Nalik était si émerveillé par le spectacle auquel il venait d'assister qu'il avait oublié que, quelques instants plus tôt, il était sur le point de mourir noyé.

– Oui… oui, je vais mieux.

– Peut-être que je ne devrais pas te poser cette question dans les circonstances, mais aimerais-tu boire quelque chose?

– Non, merci.

L'homme fixa la table.

– Je vois une tasse de *ka-ka-wa*.

Une tasse apparut, emplie de ce qui semblait effectivement être du *ka-ka-wa*.

– Je ne peux pas résister à cette divine boisson.

L'inconnu en prit une gorgée et ferma les yeux, comme pour se laisser enivrer par le goût exquis de cette boisson. Il semblait prendre un malin plaisir à faire attendre Nalik.

– Tu veux savoir comment je fais, n'est-ce pas?

Le garçon opina du bonnet.

– Essaie à ton tour, juste pour voir si je suis le seul à qui cela arrive.

– Moi?

L'homme éclata de rire.

– C'est évidemment à toi que je m'adresse, puisque nous sommes seuls.

Nalik hésita, puis répondit:

– Je… je vois…

– Allez, vas-y, mon fils. Demande ce que tu veux.

– Je vois… euh… un épi de maïs.

Il ne se passa rien.

– Un épi de maïs? fit l'homme. Tu peux demander tout ce que tu désires, et tu veux voir apparaître devant toi un vulgaire épi de maïs?

Il tourna la tête à la recherche d'une apparition.

– Eh bien, il semblerait que cela n'ait pas fonctionné! dit-il. Je vois un épi de maïs. Ah!

L'inconnu se leva. Derrière Nalik, plantée dans le sol mou et gluant, il y avait une tige portant un épi de maïs. L'homme le sépara de la tige et l'éplucha. Une fois l'épi dénudé, laissant apparaître des rangées de graines jaunes, il l'offrit à son invité.

– Tu as faim?

La Fourmi rouge leva la main en signe de négation. L'étrange bonhomme croqua dans l'épi, s'assit et mastiqua avec application.

– Vois-tu, je ne sais pas comment je fais. C'est un mystère. Toute ma vie durant, j'ai vu des choses que j'étais le seul à voir. Cela m'a valu bien des problèmes et, aussi, je dois l'avouer, des peines et des angoisses. Mais cette époque est révolue.

– Je vois, fit Nalik. Vous savez où vous êtes ?

– Quelle question ! Bien entendu que je sais où je suis : chez moi !

– Vous comptez rester ici longtemps ?

L'homme planta de nouveau ses dents dans l'épi.

– Jusqu'à ma mort, même si les périls sont nombreux.

Nalik ne pouvait s'imaginer s'éterniser en ces sinistres lieux. Certes, il était solitaire et n'aimait pas la compagnie des autres, mais pas à ce point. Juste à l'idée de vivre là le reste de sa vie, l'anxiété le gagna.

– Comment êtes-vous arrivé ici ?

– Je me suis longtemps promené sans trouver d'endroit où m'établir. Un jour, j'ai vu une grotte et j'y suis entré. Je l'ai explorée, puis, vanné, je me suis arrêté à un plan d'eau pour me laver. C'est alors que j'ai été avalé par un géant à tête de tortue qui était venu s'y désaltérer.

– Cabracàn, souffla Nalik.

– Il faisait noir comme le plumage d'un corbeau. J'ai alors vu un point bleu au loin. C'était ce feu qui ne s'éteint pas. Il flottait sur l'eau.

L'homme se leva et pointa du menton la torche de feu bleu.

– Alors que je me dirigeais vers cette lumière pour m'en emparer, j'ai été entraîné vers le fond par Buluk-Kab. C'est à ce moment que je me suis rendu compte que j'avais un pouvoir.

– Que s'est-il passé?

À cet instant, l'homme devint immobile comme une statue, les yeux fixés sur l'épi de maïs. Tout ce qui les entourait disparut subitement. Le fessier de Nalik se retrouva d'un coup sur le sol gélatineux. Il n'y avait plus que la torche de feu bleu pour les éclairer.

Le garçon se releva et saisit la torche. Son hôte avait les yeux grands ouverts, mais il ne bougeait pas. Nalik passa sa main devant son visage. Aucune réaction.

Puis quelque chose d'invraisemblable se produisit.

– Nalik? murmura l'homme.

Le jeune Maya ne se rappelait pas lui avoir mentionné son nom. Comment diantre avait-il fait pour le connaître?

L'inconnu fixa les yeux de Nalik. Son visage avait perdu toute trace de gaieté.

– Nalik? répéta-t-il.

– Oui?

– C'est Pakkal.

Nalik recula. La situation était trop étrange.

– Prince Pakkal?

– Où es-tu?

– Je… je suis dans le ventre de Cabracàn.

– Comment vas-tu?

– Bien. Je crois.

Lorsque l'homme parlait, seules ses lèvres remuaient. Il n'avait aucune expression.

– J'ai contacté Ohl Mat, mon grand-père. Il m'a conseillé de m'entretenir avec toi.

– Ah oui? Que puis-je faire pour vous?

– C'est à toi de me le dire.

– Je ne comprends pas.

– Palenque n'a plus assez de soldats. Je dois trouver un moyen pour libérer les guerriers célestes afin qu'ils nous viennent en aide. C'est pour ça que mon grand-père m'a incité à entrer en contact avec toi.

Nalik était embarrassé. Il ne savait que répondre.

– Je n'ai aucune information à vous donner, dit-il. Je suis ici depuis peu et je n'ai rien vu qui pourrait vous aider.

– Es-tu seul?

– Non.

– Qui est avec toi?

– Un homme. Je crois qu'il pourrait faire partie de l'Armée des dons. Il possède un talent assez particulier.

– Où est-il?

– Il est... euh... il est en face de moi.

– Demande-lui d'avancer, je veux lui parler.

– C'est impossible.

Nalik avait du mal à trouver les mots pour expliquer ce qu'il se passait.

– Pourquoi donc?

– Il est vous.

– Pardon?

– Vous utilisez sa bouche pour parler.

Il y eut un silence.

– Je vais me retirer du *tunich*, finit par dire Pakkal. Tu interrogeras l'homme au sujet des guerriers célestes.

– S'il sait quelque chose, comment vais-je faire pour vous transmettre les renseignements?

– Je communiquerai avec toi plus tard. Je suis persuadé que mon grand-père ne s'est pas trompé. Là où tu es, tu peux apprendre une information primordiale qui nous aidera à sauver Palenque.

Entouré de parois gluantes et ayant pour seule source d'éclairage la torche de feu bleu, Nalik doutait qu'il pourrait obtenir une quelconque information. Ce n'étaient sûrement pas les étranges bestioles qu'il avait rencontrées au début de son périple dans le ventre du géant qui allaient l'aider. Il ne restait que l'homme auquel il faisait face.

– Je vais le questionner, l'assura la Fourmi rouge.

Il attendit quelques secondes. La bouche de l'homme ne bougeait plus.

– Prince Pakkal?

Pas de réponse.

– Je dois sortir d'ici, murmura Nalik.

À cet instant, l'intérieur de la maison de l'homme qui avait soudainement disparu refit son apparition. L'homme, comme s'il ne s'était rien produit, reprit le discours qu'il tenait auparavant.

– Ce qu'il s'est passé? J'ai pensé que j'étais secouru par des requins…

Le garçon avait perdu le fil de la conversation, et l'homme s'en rendit compte.

– Me suis-tu, mon fils?

– Oui.

– Tu sais ce que sont des requins?

Nalik fit oui de la tête. Il en avait déjà entendu parler. Il s'agissait de gigantesques poissons que l'on trouvait dans la mer, près des côtes. Un marchand avait une fois rapporté une dent de requin à Palenque quand Nalik était enfant. Elle était triangulaire et acérée comme une flèche. Cela l'avait beaucoup impressionné.

– Donc, j'ai vu d'énormes masses, venues de nulle part, me secourir. C'étaient des requins. Depuis ce temps, lorsque je pense à quelque chose, cela se matérialise *vraiment*.

Le garçon qui se tenait devant l'homme avait complètement changé d'attitude. Il semblait désorienté.

– Je veux dire qu'il y a des preuves. Auparavant, moi seul voyais ce que j'imaginais.

– D'accord, fit simplement Nalik.

– J'ai été sauvé, mais Buluk-Kab est tout de même parvenu à laisser son empreinte.

L'homme leva une jambe et posa son pied sur une chaise. Il pointa le doigt vers son mollet.

– Tu vois cette marque?

C'était une tache plus claire sur sa peau. Elle dessinait une main.

– C'est la main de Buluk-Kab. Tu sais ce que cela signifie?

Nalik ne le savait pas et l'homme le devina.

– Il s'agit de la marque de Buluk-Kab. Tu n'en as jamais entendu parler?

– Non.

– Cela signifie que je vais mourir noyé.

Le jeune Maya n'avait jamais eu vent de cette malédiction.

– Avec mes pouvoirs, je ne vois pas comment il pourrait y arriver. Je serai le premier qui prouvera que ce n'est pas inéluctable.

L'homme s'inquiéta de l'air déconcerté qu'affichait Nalik.

– Te sens-tu bien, mon fils? D'ailleurs, je ne sais même pas ton nom. Quel est-il?

– Nalik.

– Nalik… J'ai connu un enfant qui portait ce nom. Il était turbulent. Eh bien, moi, je me nomme Tuzumab!

À brûle-pourpoint, Nalik demanda:

– Est-ce que vous connaissez les guerriers célestes?

Tuzumab sembla décontenancé, puis dit:

– Je ne sais pas pourquoi tu me poses cette question à cet instant, mais bien sûr que je les connais. Que veux-tu savoir?

Pakkal retira son pied du *tunich*. Il ne savait pas combien de temps il avait passé dessus, mais Hunahpù était déjà bien installé dans le ciel seulement obscurci par les chauveyas. Le prince avait un léger mal de tête. Sa conversation avec Nalik lui avait pas appris grand-chose et cela l'inquiétait. Pourtant, son grand-père avait été clair : il devait parler à la Fourmi rouge.

En se rendant au temple royal, Pakkal croisa quelques soldats. Il pouvait voir la peur dans leur regard : ils se demandaient s'ils avaient assisté au dernier lever de Hunahpù de leur vie. Mourir au combat pour protéger sa cité était un honneur. Mais quand il n'y avait aucun espoir de remporter la victoire, que la bataille était perdue d'avance, la fierté laissait place à la crainte que leur mort ne servît à rien.

En entrant dans la grande salle du temple royal, le prince vit seulement Laya qui observait les chauveyas par la fenêtre. Il tenta de rebrousser chemin sans faire de bruit pour ne pas avoir à lui parler, mais elle tourna la tête.

– Pakkal ? Où as-tu passé la nuit ? Je m'inquiétais !

– Dans la Forêt rieuse, répondit-il.

Elle s'approcha, lui prit les mains et les examina.

– Tu dois m'expliquer ce qui s'est passé hier.

Pakkal feignit de ne pas comprendre ce qu'elle voulait dire.

– Hier ?

– Tu le sais bien. Quand nous étions auprès de Serpent-Boucle…

– Je ne sais pas.

– Tu… tu t'es transformé.

Pakkal comprit qu'il ne servait à rien de continuer à mentir. Laya parlait franchement de ce qui s'était produit ; il n'avait pas d'échappatoire. Il lui fit signe de le suivre. Il se rendit sur le balcon, se plaça tout près d'elle et chuchota :

– Tu dois me promettre de ne rien révéler à personne, d'accord ?

Laya fit oui de la tête.

– Dans le Village des lumières, j'ai rencontré mon Hunab Ku.

– Qui ?

– Mon Hunab Ku. L'autre partie de moi.

– Celle qui ne se lave jamais ?

La jeune fille s'esclaffa. Elle trouva la référence à la peau noire de Chini'k Nabaaj rigolote. Elle s'arrêta lorsqu'elle vit que Pakkal n'entendait pas à rire.

– Désolée.

– Je crois qu'il apparaît quand je suis contrarié, poursuivit le prince. Je n'ai aucun contrôle sur lui. Je me rends compte que je me transforme en lui, mais c'est sa personnalité qui prend le dessus.

– Et quelle est sa personnalité ?

– Il est vilain. Très vilain. Il vient du Monde inférieur.

Les yeux de Laya s'écarquillèrent.

– Est-ce lui qui a tué Zenkà?

Le seul fait que son amie put suggérer qu'il avait été en mesure de faire du mal à un membre de l'Armée des dons indigna Pakkal.

– Non! Jamais!

– Pourquoi dis-tu qu'il est vilain?

– À Yaxchilan, j'ai rencontré un serviteur d'Ah Puch, Muan. C'est lui qui a assassiné Zenkà. Et après… je l'ai tué.

Le prince se reprit:

– C'est plutôt lui qui l'a tué.

– Pourquoi ne pas en discuter avec Kalinox? demanda Laya. Peut-être que les codex en parlent?

Pakkal secoua la tête avec vigueur.

– Je veux que personne ne le sache. Je vais trouver un moyen de me débarrasser de lui. Quand il prend possession de moi, je suis incontrôlable…

Il voulut ajouter: «…et je suis si fort», mais il n'en fit rien.

– Bonjour, lança une voix derrière Pakkal et Laya.

Les deux adolescents se retournèrent. C'était Serpent-Boucle, le roi de Calakmul. Pakkal eut un pincement au cœur.

– Bonjour, répondit Laya.

Serpent-Boucle s'avança. Il boitait et s'appuyait sur les meubles.

Le prince sentit le rythme de sa respiration s'accélérer.

– Tu as beaucoup grandi, dit Serpent-Boucle en le regardant. La dernière fois que je t'ai vu, tu n'étais qu'un enfant. Tu es presque un homme, maintenant.

Il esquissa un sourire crispé. Pakkal ne savait que répondre. Il était bouche bée. La vue du roi de Calakmul le troublait au plus haut point. Dans ses fantasmes, il avait le dessus sur lui, il le faisait payer pour toute la douleur qu'il avait infligée à sa famille, au peuple de Palenque et à lui-même. Il constata que la concrétisation de son désir était plus difficile à vivre qu'il ne le pensait.

– Avez-vous faim ? demanda Laya.

– Pas vraiment. Mais j'ai soif.

– Je reviens.

La princesse quitta la pièce, heureuse de ne pas avoir à subir le malaise ambiant. Pakkal n'avait pas prévu rester seul avec Serpent-Boucle. Il aurait voulu suivre son amie, mais cela n'aurait pas été convenable. Il était le chef de Palenque, maintenant. Il devait faire montre de force. Et il ne devait surtout pas laisser Chini'k Nabaaj se manifester. Il s'efforça de maîtriser son anxiété.

Alors que le prince cherchait quelque chose à dire, Serpent-Boucle déclara :

– Je suis désolé.

Ces trois mots désarçonnèrent Pakkal. Il s'attendait à tout, sauf à cela.

– Je me rends compte que nos guerres étaient bien petites si on les compare avec ce que nous devons affronter aujourd'hui. Chaque cité ne pensait qu'à son propre bien. Elle ne faisait plaisir aux dieux du Monde supérieur que pour obtenir des faveurs égoïstes. C'était une erreur et je suis le premier à le reconnaître.

Le prince hocha la tête. Il était parfaitement d'accord avec le roi de Calakmul. Il sentit un grand calme l'envahir.

« Parlez-moi de ma mère » furent les premiers mots qu'il adressa à Serpent-Boucle.

Laya revint avec une cruche d'eau et une tasse. Elle les déposa sur la pierre qui tenait lieu de table et remplit la tasse d'eau.

– Merci, fit Serpent-Boucle.

Il la vida d'un trait et s'en servit une autre. Pakkal ne pouvait plus attendre.

– Je veux savoir ce qui est arrivé à ma mère. Dans votre sommeil, vous en avez parlé.

Le roi de Calakmul s'assit.

– J'ai toujours été renversé par sa beauté. Je dois dire qu'elle était encore aussi belle.

– *Était*? releva Pakkal.

– Oui, *était*. Elle n'est plus la même, K'inich Janaab.

Ce que le prince redoutait le plus, soit apprendre le décès de dame Zac-Kuk, ne semblait pas se concrétiser. Cependant, il ne fut aucunement soulagé: pourquoi Serpent-Boucle parlait-il au passé?

– Elle n'est plus la même? Comme est-ce possible?

Laya se plaça derrière Pakkal et mit une main sur son épaule. Le roi baissa les yeux et poursuivit:

– Je ne sais pas si je devrais…

– Je suis son fils, le coupa Pakkal. Je veux tout savoir.

– Vous avez raison. Vous n'avez plus l'âge où l'on cache la vérité aux enfants pour leur éviter de découvrir trop tôt que la vie peut être cruelle, parfois.

– Il y a bien longtemps que je sais que la vie est cruelle, rétorqua le garçon, faisant allusion au calvaire que Serpent-Boucle lui avait fait subir.

Le roi de Calakmul ne fit pas de cas de cette attaque à peine voilée.

– Votre mère est devenue une des leurs.

Pakkal recula d'un pas. Son dos était collé à la poitrine de Laya.

– C'est impossible!

– Je sais à quel point cela doit être difficile pour vous. Je suis désolé, mais elle n'est plus celle qu'elle était.

– Que s'est-il passé? demanda Laya.

Serpent-Boucle ne voulait pas entrer dans les détails. Il avait assisté à la transformation de dame Zac-Kuk et cela avait été horrible. Ces détails n'étaient pas nécessaires, d'autant plus que le prince de Palenque semblait déjà en état de choc. Il avait beau être devenu un petit homme, il y avait des précisions qui, même pour les adultes, n'avaient pas besoin d'être mentionnées.

– Je ne sais pas exactement ce qui s'est passé, mentit Serpent-Boucle. Tout ce que je sais, c'est qu'elle n'est plus la même.

– Comment est-elle? demanda Pakkal.

– Est-ce vraiment nécessaire de?...

– Répondez-moi.

Le prince trouva son ton de voix trop sec. La conversation était cordiale. Il ajouta:

– Je vous en prie.

– Ah Puch a fait subir à votre mère une transformation radicale. Elle est maintenant seigneur de la Mort.

– Comment est-ce possible ?

– Il y a eu un affrontement entre elle et Ix Tab. C'est elle qui a gagné, elle a donc pris sa place.

Ix Tab était la déesse du Suicide. Elle portait un nœud coulant autour du cou. On affirmait que, pendant la nuit, elle était celle qui donnait du « courage » aux désespérés qui désiraient s'enlever la vie en leur susurrant une comptine de leur enfance dans l'oreille.

– Je suis désolé, fit Serpent-Boucle. Sincèrement.

Il vida d'un trait une autre tasse d'eau et se retourna. Il se rendit à la fenêtre et observa le ciel.

Pakkal était atterré. Il s'attendait bien à ce que, un jour ou l'autre, on lui annonçât que sa mère avait été tuée à Xibalbà. Il s'était préparé à encaisser la nouvelle. Mais jamais il n'aurait pensé qu'Ah Puch la transformerait en seigneur de la Mort. C'était pire que si elle avait été assassinée.

Puis l'image de Chini'k Nabaaj lui traversa l'esprit. Se pouvait-il que lui aussi devînt un seigneur de la Mort ? Il chassa cette idée de sa tête. Il se dit qu'il y avait sûrement un moyen de renverser le sort. Il ne devait pas se laisser démonter.

Pakkal se détacha de Laya et alla rejoindre Serpent-Boucle qui regardait les chauveyas tournoyer dans le ciel.

– Vous croyez qu'ils vont attaquer? lui demanda-t-il.

– Là n'est pas la question, répondit le roi de Calakmul. La question est de savoir quand ils vont le faire. Ils attendent le bon moment.

– Le bon moment… S'ils attaquaient maintenant, nous ne pourrions pas nous défendre. Nous n'avons qu'une centaine d'hommes.

– Ils n'attaqueront pas aujourd'hui. Le grand prêtre de Calakmul m'a expliqué qu'ils attendent que Chak Ek'[1] soit au bon endroit. C'est une question de puissance. Depuis combien de temps suis-je ici?

– Vous êtes arrivé hier, dit Pakkal.

– Donc… ils devraient attaquer demain, lors du lever de Hunahpù.

– Vous en êtes sûr?

– Oui. Mon grand prêtre a prédit avec exactitude l'attaque de Calakmul. Et il m'a dit que, trois jours plus tard, il allait y en avoir

---

1. Vénus.

une autre. Le troisième jour, si je compte bien, c'est demain.

– Cela me laisse donc peu de temps pour trouver le moyen de libérer les guerriers célestes.

Serpent-Boucle ne savait visiblement pas de quoi le prince parlait. Ce dernier le lui expliqua et, dès qu'il eut terminé, le roi émit de sérieuses réserves :

– Vous n'y arriverez pas, prince Pakkal. Si j'étais vous, j'évacuerais la cité. Et vite.

C'était la même suggestion que Kinam, le chef de l'armée, lui avait faite. Pakkal la balaya du revers de la main :

– Je suis certain d'y arriver.

– Je dirige Calakmul depuis des années et je puis vous assurer que vous commettez une bêtise. Xibalbà va massacrer votre peuple, comme il l'a fait avec le mien. Vous voyez ces bestioles dans le ciel ? La plupart étaient mes soldats avant de se faire mordre. Vous n'avez aucune chance. Vous devez suivre mes conseils.

La mâchoire du prince se raidit.

– En l'absence de ma mère, je suis responsable de la cité. Je suis celui qui prend les décisions. Je vais libérer les quatre cents guerriers célestes.

Serpent-Boucle se renfrogna et se dirigea vers la sortie.

– Vous devez éviter de vous montrer, lui dit Pakkal. Vous n'avez pas bonne réputation, ici.

Malgré cette mise en garde, le roi de Calakmul disparut dans la foule.

• ✦ •

Kinam, le chef de l'armée de Palenque, entra en trombe dans la salle où se trouvaient Pakkal et Laya.

– Prince Pakkal, Serpent-Boucle ne peut pas se promener dans la cité. Il faut l'arrêter !

– Je sais, je sais, fit le garçon. Mais je ne peux pas le retenir.

Pakkal se rendait compte qu'il allait être plus difficile qu'il ne l'avait pensé de convaincre les rois des autres cités-États de faire front commun. Ils étaient tous habitués à diriger sans faire de compromis. Ils allaient tous avoir le réflexe de prendre leurs propres décisions et n'en dérogeraient pas.

– S'il ne veut pas rester à l'intérieur du temple royal, il faudra l'emprisonner. L'équilibre dans la ville est fragile. Mes soldats sont nerveux et je sens qu'ils doutent. S'ils voient notre ennemi juré circuler librement...

Le prince le coupa.

– Vous avez raison. Nous allons le confiner dans le temple royal. Retrouvons-le.

Pakkal voulait garder des relations courtoises avec Serpent-Boucle, mais il devait reconnaître que Kinam n'avait pas tort : il fallait provoquer le moins de vagues possible. Il comprit qu'il venait de commettre une erreur et qu'il devait la réparer dans les plus brefs délais.

– Je viens avec vous, dit-il à Kinam.

– Je vous suis, déclara Laya.

Il n'y avait trace de Serpent-Boucle nulle part. Une fois sorti du temple royal, il avait pu prendre différentes directions.

– Séparons-nous, proposa le prince. Kinam, allez jeter un œil dans la cité. Laya et moi nous occuperons des abords de la Forêt rieuse.

La princesse se retourna et regarda Pakkal.

– Laya et moi ?

– Oui. Ce serait plus prudent que tu me suives.

– Pardon ?

– D'accord, d'accord, fit le garçon qui savait qu'il n'aurait pas le dessus sur elle. Fais ce que tu veux.

Laya sourit.

– Merci. Je vais te suivre. Il sera plus avisé pour *toi* que je t'accompagne.

Kinam émit un rire qu'il stoppa net lorsque le prince le fusilla du regard.

– Très bien, lança le chef de l'armée. Soyez prudents, les enfants.

– Si vous le retrouvez, dit Pakkal, ne soyez pas brusque avec lui, d'accord?

Le chef de l'armée esquissa un sourire méchant et fit craquer les jointures de ses doigts.

– Je vais essayer.

Kinam s'enfonça dans la cité, tandis que Laya et Pakkal entreprirent de longer la Forêt rieuse.

– Entrons-y, suggéra la jeune fille. Si Serpent-Boucle est quelque part, ce n'est sûrement pas aux abords de la forêt.

– Mauvaise idée. Elle est infestée de chauveyas.

Laya scruta les bois.

– Je ne vois pas de chauveyas. Tu en vois, toi?

– Ils sont cachés. Tu ne sais pas à quel point ils sont rapides et vicieux.

Mais la princesse n'écouta pas les conseils de son ami. Elle se dirigea droit vers la Forêt rieuse.

– C'est une mauvaise idée, répéta Pakkal.

Laya poursuivit son chemin sans même se retourner. Le prince leva les yeux au ciel, tapa du pied sur le sol et, au pas de course, alla la rejoindre.

– On t'a déjà dit que tu avais la tête aussi dure que celle d'un tapir?

– C'est un compliment? demanda Laya tout en continuant de marcher.

– Non!

Ils firent quelques pas. Pakkal regarda derrière lui: entre les troncs d'arbre, on ne voyait presque plus les limites de la cité.

– Nous devons rebrousser chemin, affirma-t-il. J'ai eu toute la misère du monde à revenir à Palenque, je ne voudrais pas que cela…

Laya s'arrêta subitement et mit une main sur la poitrine de son compagnon.

– Chut!

– Quoi?

– Chut!

Pakkal se tut. Des jappements semblaient provenir d'en face d'eux.

– C'est un chien.

– Vous êtes perspicace, cher prince.

– Et il approche, ajouta Pakkal.

Les aboiements n'étaient pas ceux de l'un des nombreux chiens vagabonds que l'on pouvait trouver dans la cité. Ils étaient puissants et empreints d'une rare agressivité. Le prince les avait déjà entendus et fit le lien immédiatement.

– Nous devons rebrousser chemin, dit-il à Laya.

– Bonne idée.

En se retournant, ils constatèrent qu'à quelques mètres d'eux se tenait un énorme chien noir. Il montrait ses dents pointues et de sa bouche s'écoulait de la bave blanche. Pakkal le reconnut tout de suite : il s'agissait de l'un des chiens qu'Ah Puch avait offerts à Selekzin, le fils de l'ancien grand prêtre Zine'Kwan. L'autre devait être derrière, à quelques enjambées. Les jappements se rapprochaient.

Le garçon tourna la tête et vit, au dernier instant, le chien s'élancer sur eux. Il prit le bras de Laya et la tira vers le sol. Le molosse vola au-dessus d'eux et atterrit lourdement quelques mètres plus loin. Il se redressa aussitôt et vint se placer aux côtés de son congénère. Tous deux grognaient.

Pakkal estima qu'en courant ils pouvaient parvenir à la cité rapidement et trouver du secours. Sauf que les chiens constituaient un obstacle important.

L'un d'eux chargea. Le prince exécuta une roulade juste à temps et s'empara d'une branche qui traînait par terre. Il se retourna et la planta dans la gueule du chien qui allait le mordre. L'animal poussa un cri aigu, puis recula.

Laya était aux prises avec l'autre chien qui avait posé ses deux pattes avant sur sa poitrine. Elle essayait tant bien que mal de le repousser. Pakkal se releva prestement pour tirer son amie de ce pétrin, mais une lourde main s'abattit sur son épaule. Il tourna la tête.

– Salut, Douze Orteils.

C'était Selekzin.

Le regard du fils de l'ancien grand prêtre n'avait pas changé: méchant et hargneux. Mais son corps avait subi de considérables modifications. Ses cheveux étaient d'une innommable saleté, sa peau était parsemée de gales et, surtout, il dégageait une odeur de putréfaction.

– Jamais je n'aurais pensé que tu oserais t'aventurer dans la Forêt rieuse. Je croyais que j'allais devoir attendre jusqu'à demain pour te revoir. J'ai sous-estimé ton niveau de stupidité.

Selekzin siffla, et le chien qui tenait Laya entre ses pattes la relâcha. Elle se releva et frotta ses vêtements.

– Si tu cherches la personne stupide, lança-t-elle, c'est toi!

Pakkal la sentait prête à éclater.

– Ne le provoque pas, lui intima-t-il.

Mais cela eut l'effet contraire.

– Pourquoi pas? Tu crois qu'il me fait peur?

Les chiens se mirent à aboyer en même temps. Cela fit sursauter la princesse.

Selekzin eut un sourire qui laissa paraître des dents couvertes d'une substance brunâtre et pâteuse. Il s'avança vers Pakkal, puis tourna autour de lui, le toisant.

– Dis-moi, c'est vrai ce qu'on raconte à ton sujet? Ce qui s'est passé à Yaxchilan?

Pakkal s'attendait à être attaqué par Selekzin d'un instant à l'autre. Ce garçon était vicieux à un point tel qu'il pouvait agresser un adversaire alors que celui-ci avait le dos tourné. Le prince devait se préparer à tout.

– Je ne sais pas de quoi tu parles, répliqua-t-il.

– Ce que tu as fait à Muan, le serviteur d'Ah Puch? On dit que tu es parvenu à lui arracher une aile. On dit que tu l'as tué.

Selekzin se tenait derrière le prince. Sans bouger la tête, ce dernier tenta, du coin de l'œil, de le situer.

– Je ne sais pas de quoi tu parles, répéta Pakkal.

– Fais-moi voir ton Hunab Ku. Fais-moi voir le côté sombre du prince Douze Orteils. Celui du Monde inférieur. Celui qui va faire disparaître K'inich Janaab. Celui qui nous aidera à détruire la Quatrième Création. Et celui que je tuerai à la première occasion, évidemment.

Pakkal ferma les yeux et serra les poings. Selekzin le piquait pour tenter de le faire sortir de ses gonds. Depuis qu'il le connaissait, il avait toujours agi de la sorte avec lui. Il le narguait jusqu'à ce qu'il se fâchât. C'était donc le prince qui passait pour l'impétueux. Xantac lui avait, à maintes reprises, conseillé de ne pas mordre à l'hameçon que Selekzin lui tendait. C'était plus facile à dire qu'à faire : voyant que le prince ne réagissait pas, le fils du grand prêtre y allait de plus belle. Cela devenait du harcèlement. Il mettait fin à ses attaques uniquement lorsqu'il était parvenu à déstabiliser Pakkal.

Sans crier gare, l'ancien chef des Fourmis rouges poussa violemment le prince. Celui-ci atterrit sur le ventre, le nez dans les feuilles mortes qui jonchaient le sol.

Le visage de Selekzin était déformé par la colère.

– Allez, Douze Orteils, montre-moi de quel bois tu te chauffes.

Laya intervint :

– Tu es si hypocrite et lâche… Tu n'es même pas capable d'affronter quelqu'un comme il se doit.

Suivi par ses chiens, l'affreux garçon s'approcha de la princesse.

– J'ai toujours aimé les filles qui ne craignent pas de s'exprimer. Ça me donne l'occasion de les faire taire.

Selekzin s'arrêta à moins de un mètre de Laya. Elle ne put s'empêcher de tourner la tête, dégoûtée.

– Tu sens tellement mauvais ! fit-elle.

– C'est l'odeur du pouvoir et de la puissance. C'est l'odeur de Xibalbà.

La jeune fille regarda Pakkal et tira la langue pour exprimer son dégoût. Le démon l'attrapa par les épaules. Surprise, Laya retourna la tête. Selekzin lui appliqua un baiser sur la bouche.

– Non ! cria Pakkal.

Laya ouvrit les yeux tout grands. Elle tenta de repousser cet être immonde, en vain. C'était comme si elle était collée à lui. Avec ses poings, elle lui assénait des coups sur la tête, mais cela ne donnait aucun résultat.

Pakkal bondit en direction de Selekzin. Cependant, les chiens réagirent aussi rapidement que lui. L'un d'eux réussit à saisir dans sa gueule le cou du prince. Il exerçait une pression suffisante pour qu'il ne pût pas se sauver. Pakkal sentait les dents dans sa chair. Un coup sec et c'en était fait de lui. Il resta immobile.

Lorsque Selekzin la relâcha, Laya s'effondra. Il la ramassa et la prit dans ses bras, comme s'il s'agissait d'une poupée de paille. Il siffla. Les chiens délaissèrent leur proie et rejoignirent leur maître qui s'enfonçait dans la forêt. Pakkal frotta son cou et regarda sa main : il ne saignait pas.

Il entendit Selekzin dire :

– Demain, tu leur serviras de repas.

Le prince ne pouvait pas laisser ce monstre partir avec Laya. Il jeta un coup d'œil à gauche et à droite, cherchant un moyen de se défendre. Il tâta sa ceinture. Il n'avait même pas son couteau d'obsidienne. Il se pencha et prit deux pierres qui faisaient la moitié de son poing. Il lança la première qui atteignit Selekzin à l'arrière de la tête. Celui-ci s'arrêta. Puis, lentement, il se retourna.

Pakkal en profita pour décocher la seconde pierre. En plein dans le mille : Selekzin la reçut sur le nez. Il tomba à la renverse, Laya par-dessus lui. Elle sembla reprendre conscience à ce moment.

– Sauve-toi, lui cria Pakkal.

Désorientée, la jeune fille regarda autour d'elle.

– Lève-toi et fuis !

Laya fixa son ami d'un air absent, comme si elle ne le reconnaissait pas. Pakkal continua de l'exhorter à se sauver tout en lui disant des mots rassurants. Pendant ce temps, les deux chiens géants tournaient autour de Selekzin, et comme s'ils voulaient l'encourager à reprendre ses esprits, ils jappaient tels des déchaînés.

La princesse, lentement, se releva. Alors qu'elle s'approchait de Pakkal, elle sentit une main sur sa cheville. Selekzin la retenait. Il se redressa et pointa le doigt vers le prince.

– Tuez-le !

Il n'eut pas à répéter son ordre. Les deux molosses se ruèrent sur Pakkal.

Pakkal avait à ses trousses les deux chiens. Il était réputé pour courir vite mais, contre deux chiens enragés, il n'avait pas la moindre chance et il le savait. Il n'y avait aucune branche sur laquelle il aurait pu grimper. Elles étaient toutes trop hautes. Alors qu'il tournait la tête pour jeter un œil derrière lui, le prince trébucha sur une racine et glissa sur le sol. Il leva les yeux. La peau de ses mains était noire. Rugueuse. Il sentit les deux chiens lui sauter dessus. L'un d'eux planta ses crocs dans son dos ; l'autre lui attrapa un poignet.

Lorsqu'il se releva, le garçon poussa un hurlement. Il n'était plus K'inich Janaab. Il était devenu Chini'k Nabaaj. Se sentant tout-puissant, de sa main libre, il empoigna le cou du chien qui lui mordait le dos. Il l'en arracha et le lança. L'animal alla s'écrabouiller sur un rocher.

Chini'k Nabaaj donna un coup de poing sur la tête de l'autre chien qui tenait sa main dans sa gueule. Celui-ci libéra sa proie en poussant un cri aigu. Le Hunab Ku de Pakkal l'attrapa par la queue et tourna sur lui-même. Puis il relâcha la bête qui fut projetée dans les airs. Il ne la vit pas atterrir.

L'autre molosse avait eu le temps de reprendre ses esprits. Il sauta dans sa direction et planta ses dents dans son avant-bras. Chini'k Nabaaj esquissa une grimace de douleur, puis donna un coup de tête sur celle du chien qui s'affaissa sur le sol. Alors, il bondit sur lui et mordit, à son tour, une de ses pattes. L'animal se débattit comme il le put. Lorsque son adversaire le relâcha, il déguerpit en boitant. Chini'k Nabaaj cracha par terre un morceau de peau qu'il était parvenu à lui arracher.

Même s'il était devenu Chini'k Nabaaj, Pakkal était conscient de son état. Mais il ne cherchait aucunement à contrôler ses émotions. Il était grisé par la force que lui procurait sa colère. Il empoigna le rocher sur lequel l'un des chiens s'était écrasé et qui était au moins cinq fois plus gros que lui. Il le leva à bout de bras et le lança. Il alla fracasser le tronc d'un arbre.

Laya. Il lui fallait retrouver Laya.

Chini'k Nabaaj ne voyait plus Selekzin. Il partit dans la direction que ce dernier avait empruntée la dernière fois qu'il l'avait aperçu. Il courut de toutes ses forces. Il lui semblait aller aussi vite qu'un jaguar. Il distingua rapidement le dos de son ennemi qui tenait toujours Laya dans ses bras. Il stoppa net et poussa un cri de fureur.

Selekzin s'arrêta et baissa la tête, comme s'il voulait se protéger d'une quelconque attaque. Il se retourna.

– Eh bien… je constate que tu es parvenu à te débarrasser de mes chiens. Et je constate aussi que tu es maintenant de mon bord, celui du Monde inférieur. Ah Puch avait donc raison.

Chini'k Nabaaj n'avait pas peur de Selekzin et cela lui procurait une grande sensation de liberté. Comme si la crainte que lui inspirait le fils du grand prêtre n'avait jamais existé. Cependant, il le détestait profondément. Il voulait le réduire à néant. S'il n'avait pas tenu Laya dans ses bras, il l'aurait déjà attaqué.

Selekzin posa Laya, qui avait les yeux ouverts, mais qui semblait complètement ailleurs. Il tendit la main à Chini'k Nabaaj.

– Viens avec moi. Nous détruirons Palenque ensemble, puis ce sera au tour des autres cités. Nous écraserons la Quatrième Création sous nos pieds. Puis, nous pourrons détrôner Ah Puch de Mitnal. Avec tes pouvoirs, nous y arriverons.

La proposition de Selekzin avait du sens pour Chini'k Nabaaj. Mais, rapidement, l'esprit de Pakkal prit le dessus. C'était insensé. Non ! ce n'était pas si bête : il savait que Palenque, sans les guerriers célestes, ne résisterait que quelques instants. Puis la destruction des autres cités ne serait qu'une formalité. Même s'il n'était jamais allé à Mitnal et qu'il ne savait même pas à quoi cela ressemblait, il voulait le conquérir et y résider. Il voulait se débarrasser d'Ah Puch. Et devenir le maître du

Monde inférieur. Le dieu des dieux de Xibalbà, du Monde intermédiaire et du Monde supérieur. Le dieu de l'univers.

Chini'k Nabaaj secoua vigoureusement la tête. Comment pouvait-il avoir ce genre d'idées ? Il en avait honte. Son regard croisa celui de Laya. C'était sur elle qu'il devait se concentrer. Il devait la sauver. Et retourner à Palenque. Et libérer les guerriers célestes. Et empêcher la destruction de la Quatrième Création. C'était sa mission. Il ne devait pas s'en détourner.

Selekzin tendit de nouveau la main. Chini'k Nabaaj s'approcha et la prit. Puis il tira d'un coup sec et envoya son vis-à-vis voler dans les airs. Celui-ci finit sa course dans les branches d'un arbre et retomba lourdement sur le sol.

Chini'k Nabaaj marcha vers lui et, d'une seule main, il le releva. Comme il l'avait fait avec le chien, il tourna sur lui-même et l'envoya valser beaucoup plus loin. Il prit la main de Laya et la tira vers la cité. Elle n'avait aucune vigueur. Comme si elle était sous l'emprise d'un envoûtement.

Soudainement, il y eut un craquement. Un arbre tomba devant Chini'k Nabaaj et Laya. Un pas de plus et ils étaient écrasés.

Un autre craquement. Cette fois, le bruit provenait de derrière. Chini'k Nabaaj se retourna. Un tronc tombait directement sur eux. Il poussa Laya, puis leva les bras. Il attrapa le tronc de l'arbre dans sa chute. La pression avait été si forte que le bas de son corps s'était enfoncé dans la terre. Il écarta l'arbre et entreprit de se dépêtrer de là.

En se relevant, Chini'k Nabaaj vit Selekzin s'avancer vers lui sans toucher le sol. Ses pieds étaient à quelques centimètres de l'herbe. Son bras gauche formait un angle impossible, visiblement cassé. Selekzin se posa sur le tronc de l'arbre qui venait de tomber.

– J'aurais dû me douter que tu n'étais plus comme avant. Tu es devenu l'un des nôtres. Tu es maintenant perfide et sournois.

Il regarda son bras gauche, l'empoigna avec sa main droite et le tira brusquement pour le remettre en place. Il poussa un grognement.

– Tu es devenu fort, mais tu n'es toujours pas raisonnable.

Selekzin regarda Laya, puis se précipita vers elle. Chini'k Nabaaj fit de même. Avant qu'ils ne l'atteignissent, il y eut une violente collision. Comme s'il avait anticipé le geste de son adversaire, Selekzin parvint à le rabattre sur le sol. Il posa ses pieds sur son dos afin de le maintenir par terre. Puis il fit des gestes dans les airs. Il y eut, simultanément, des dizaines de craquements. Tous les arbres aux alentours se cassèrent à la base et chutèrent en direction de Chini'k Nabaaj et du fils de l'ancien grand prêtre. Celui-ci attendit le dernier instant pour se retirer. Les arbres atterrirent sur Chini'k Nabaaj.

Tuzumab, l'homme qui habitait dans le ventre de Cabracàn et qui paraissait ravi de la situation, fit signe à Nalik de s'asseoir. La Fourmi rouge posa son postérieur sur un des sièges de bois que son hôte avait fait apparaître.

– Les guerriers célestes… Pendant des années, il me semble, j'ai parcouru le monde et j'ai fait des rencontres extraordinaires. J'ai même vu l'Arbre cosmique et ses gardiens, les tootkook. Mais la première personne extraordinaire que j'ai rencontrée, c'est Neliam. Tu la connais, mon fils?

– Non, fit Nalik.

– Neliam, répéta Tuzumab, une petite fille d'une sublime beauté qui avait les cheveux très longs. Dès que j'ai posé les yeux sur elle, j'ai voulu l'aider, à cause de mon cœur de père, sûrement. Je lui ai demandé pourquoi elle avait un visage aussi affligé. Depuis longtemps, elle n'avait pas souri parce qu'on lui avait volé sa poupée de paille. Elle m'a dit que le seul moyen de la rendre heureuse de nouveau serait de la retrouver.

Tuzumab semblait prendre plaisir à faire le récit de sa vie, lui qui ne voyait jamais personne. Mais Nalik s'impatientait.

– Quel est le rapport entre cette petite fille et les guerriers célestes ?

– J'y viens, mon fils. Pourquoi es-tu si pressé ? Il n'y a rien d'autre à faire ici que de se raconter des histoires.

– Je n'ai pas l'intention de passer le reste de ma vie ici. Ma cité sera bientôt attaquée par Xibalbà et on m'a chargé de trouver un moyen de dénicher les guerriers célestes.

– Dis-moi de quelle cité tu viens, mon fils.

– Palenque.

Tuzumab se tut.

– Vous connaissez ? demanda Nalik.

– Non. Mais j'en ai déjà entendu parler. C'est bien là-bas qu'il y a une reine qui s'appelle dame Zac-Kuk, n'est-ce pas ?

– C'est exact.

– Et son fils, son nom m'échappe…

– K'inich Janaab ou…

– Pakkal, le coupa Tuzumab. Le « bouclier ».

– Oui, c'est cela.

Le regard de l'homme dévia vers le sol. Puis il reprit :

– Il n'y a qu'un moyen d'atteindre les guerriers célestes et seule Neliam le connaît. Il y a de longs escaliers qui mènent jusqu'au ciel, mais elle ne veut pas dire où ils sont situés. Tant et aussi longtemps qu'on ne lui rendra pas sa poupée, elle gardera le secret.

– Ses parents, où sont-ils ?

– Ça, je l'ignore. Si tu veux mon avis, je crois qu'ils sont morts. Elle est seule au monde, c'est bien ce qui m'a poussé à la prendre sous mon aile. Vous pouvez toujours tenter de la convaincre de vous dire où sont ces fameux escaliers. Moi, cette histoire de guerriers célestes ne m'a jamais intéressé. Je voulais seulement lui venir en aide. J'ai visité beaucoup d'endroits et je n'ai jamais vu sa poupée. Si je l'avais retrouvée, je serais retourné la voir pour la lui donner. Je lui en ai même fabriqué une, avec des morceaux de tissu et des feuilles mortes. Neliam s'est mise à lui parler et, parce que la poupée ne lui a pas répondu, elle l'a jetée.

– La poupée parle ?

– Oui, c'est ce qu'elle m'a dit. Je lui ai promis de la retrouver un jour et de la lui rapporter. Il semblerait que c'était sa seule amie. D'ailleurs, tu m'y fais penser, avant de la quitter, je suis parvenu à prendre un souvenir d'elle.

– Où vit-elle?

– Attends-moi un instant.

Il se leva et regarda le plancher.

– Je vois… je vois ma boîte à souvenirs.

Un coffre en bois, sans le moindre ornement, apparut. Tuzumab plia les genoux et l'ouvrit. Il mit la main dedans et fouilla. Puis il en ressortit une mèche de cheveux.

– Je n'ai pas pu m'empêcher de partir avec cela. Je n'ai jamais mis la main sur quelque chose d'aussi doux. Touches-y.

Nalik fit non de la tête, mais l'homme insista.

– Je te préviens, lui dit-il en lui tendant la mèche, c'est la première et dernière fois que tes doigts entreront en contact avec la douceur suprême.

Dès qu'il toucha les cheveux, Nalik fut enchanté par leur texture. Après avoir douté des propos de son hôte, il dut se raviser: ces cheveux étaient tout simplement divins.

– Incroyable, murmura-t-il.

– N'est-ce pas? fit Tuzumab.

Nalik faisait sans cesse rouler la mèche entre ses doigts.

– Ils sont si brillants qu'ils reflètent les rayons de Hunahpù, poursuivit l'homme.

Il tendit la main pour récupérer la mèche de cheveux de Neliam. Mais Nalik ne voulut pas la lui rendre. Elle l'ensorcelait. La toucher était si agréable ! Tuzumab n'insista pas. Il esquissa un sourire et s'assit.

Le garçon fut sorti de sa rêverie par un cri aigu. Son compagnon se releva rapidement.

– Ils s'en viennent, dit-il.

– Qui ?

– Ta Nil et ses Doigtés. Ils ont faim.

Nalik n'avait pas oublié Ta Nil : c'était l'un des premiers qui l'avaient accueilli dans le ventre de Cabracàn. Cet être chauve qui marchait avec ses doigts pourvus d'une bouche à chaque extrémité l'avait terrorisé.

Tuzumab referma le coffre de bois qui disparut aussitôt qu'il rabattit le couvercle.

– Viens avec moi, ordonna-t-il à son jeune protégé.

Sa demeure s'éclipsa. Il n'y avait plus que la torche de feu bleu ainsi que les parois et le sol gluants. Nalik regarda la mèche de cheveux qui ne s'était pas évaporée avec le reste. Il la glissa sous sa ceinture de tissu.

Tuzumab posa une main sur son bras.

– Les Doigtés sont presque aveugles. Si tu ne fais pas de bruit et que tu ne bouges pas, il y a des chances qu'ils ne nous détectent pas.

– Des chances? fit Nalik. Avec votre don, vous ne pouvez pas faire apparaître des armes pour qu'on se défende? ou un mur impénétrable?

– Non, ils ne le voient pas, donc ils n'y croient pas.

– Mais…

Tuzumab lui fit signe de se taire, puis il le tira par le bras et l'entraîna dans un coin. Tous deux se recroquevillèrent.

Sous les reflets du feu bleu, Nalik vit les Doigtés s'avancer vers eux. Du bout de leurs longs doigts, ils touchaient tout ce qui les entourait, à la recherche d'une proie à dévorer.

Laya arriva en trombe dans la cité. Le souffle court, elle chercha quelqu'un qui pût la protéger. Après avoir écrasé Pakkal avec des dizaines d'arbres, Selekzin s'était lancé à sa poursuite. Terrorisée, la princesse trouva un soldat et lui expliqua que quelqu'un la pourchassait pour lui faire du mal. L'homme leva sa lance, prêt à attaquer. Mais il n'y avait personne en vue.

Lorsqu'elle fut sûre d'être en sécurité, Laya courut jusqu'au temple royal. Dans la cour intérieure, elle croisa Frutok.

– Pakkal est dans la forêt, lui dit-elle. Nous avons été attaqués par Xibalbà.

Le hak partit aussitôt chercher Katan et Kinam.

Laya les mena jusqu'à l'endroit où avait eu lieu la bagarre. Les troncs d'arbres, les uns par-dessus les autres, formaient une tente géante. La jeune fille se garda bien de préciser que sous cet amas de troncs se trouvait probablement un ersatz de Pakkal, un être qui lui ressemblait, mais qui semblait venir du Monde inférieur et qui avait une force incroyable.

Katan posa les mains sur un des troncs et regarda la masse impressionnante d'arbres.

– Il est là?

– Oui, fit Laya.

Kinam examina l'extrémité d'un tronc.

– C'est comme si ces arbres avaient été cassés à la base. Il faut une incroyable puissance pour arriver à accomplir cela. Que faisiez-vous dans la Forêt rieuse?

Laya baissa les yeux.

– Nous cherchions Serpent-Boucle.

Katan s'avança. Il avait retiré tous les bandages qui recouvraient les blessures qu'on lui avait infligées au cours de son expédition à Calakmul.

– Tu as dit… Serpent-Boucle?

C'était son roi, son maître, l'homme qu'il avait juré de défendre jusqu'à la mort. Visiblement, il ne savait pas que Serpent-Boucle se trouvait dans la cité.

– Oui, répondit Laya qui avait l'impression d'avoir fait une bêtise en mentionnant son nom.

Katan s'approcha de Kinam.

– Tu savais que le roi de Calakmul était ici?

Le chef de l'armée de Palenque fit oui de la tête. Katan se tourna vers Frutok.

– Et toi? Tu le savais?

Le hak demeura silencieux, ce qui signifiait que la réponse était positive.

– Pourquoi ne pas me l'avoir dit?

– Qu'est-ce que ça aurait changé? demanda Frutok.

– Il s'agit du roi de Calakmul, rétorqua Katan. Mon roi. Et c'est un futur dieu. Il aurait mérité d'être mieux entouré. Je croyais qu'il était mort.

La présence de Serpent-Boucle à Palenque était taboue. Kinam ne voulait pas s'étendre sur le sujet.

– Pour l'instant, nous devons libérer K'inich Janaab, dit-il. S'il n'est pas mort.

Laya répliqua avec hardiesse :

– Il n'est pas mort !

– Et Serpent-Boucle ? lança Katan. Nous ne pouvons pas le laisser se promener dans la Forêt rieuse. Je vais aller le chercher.

– Non, fit Kinam. C'est trop dangereux.

L'homme-chauveyas croisa ses bras sur sa poitrine.

– Qui va m'en empêcher ?

– Moi, affirma Frutok en avançant son énorme poing.

– C'est assez ! s'écria Laya en se plaçant entre Katan et Frutok. Cela ne nous mènera nulle part. Nous devons nous entraider, pas nous déchirer.

Frutok regarda Katan.

– Laya a raison, déclara-t-il. Nous nous occuperons de Serpent-Boucle plus tard. Pour l'instant, c'est le sort du prince Pakkal qui est le plus préoccupant.

Katan acquiesça mollement de la tête.

Le chef de l'armée de Palenque mit ses mains en cornet et cria :

– Pakkal ! Est-ce que vous m'entendez ?

Kinam prêta l'oreille. Pas de réponse.

– Pakkal ! hurla-t-il encore. Répondez-moi !

Cette fois, il perçut un bruit sourd.

– Il est vivant! s'exclama-t-il, comme s'il n'avait pas envisagé cette éventualité.

Frutok saisit le tronc le plus proche de lui et tenta de le soulever.

– Venez m'aider! ordonna-t-il à ses compagnons, la voix étouffée par l'effort.

Malgré la peine que se donnèrent Kinam, Katan et Laya, le tronc ne bougea pas.

– Je vais aller chercher Zipacnà, lança Katan.

– Bonne idée, approuva Kinam.

Frutok posa sa main géante sur l'épaule du Maya-chauveyas.

– Reviens vite, lui dit-il. Je t'aiderai à retrouver ton roi dès qu'on aura libéré Pakkal, je te le promets.

Le coin de la bouche de Katan se souleva. C'était un timide sourire, mais un sourire quand même.

– Ne bougez pas, cria Kinam à Pakkal. Nous allons vous venir en aide très bientôt.

Lorsqu'il entra dans Palanque, Katan battit des ailes et s'éleva quelque peu dans les airs, assez pour avoir une vue d'ensemble de la cité. Il vit la tête de crocodile de Zipacnà et vola dans sa direction. Le géant aidait des citoyens à reconstruire leurs huttes. Il suivit immédiatement le chef de l'armée de Calakmul une fois que celui-ci lui eut expliqué ce qui se passait.

– Tu dois y aller avec douceur, lui précisa Kinam quand il arriva sur les lieux. Les arbres semblent former un abri au-dessus du prince. Il ne faut pas qu'ils s'effondrent sur lui.

– Très bien, répondit Zipacnà.

Le géant soulevait lentement les arbres les uns après les autres, comme s'il s'agissait de brindilles. Lorsqu'il n'en resta que cinq, Kinam aperçut la tête de Pakkal. Il grimpa sur les troncs et lui tendit la main. Laya fut soulagée de constater que son ami était redevenu lui-même.

Aussi incroyable que cela pût paraître, Pakkal n'était aucunement blessé. Les premiers arbres tombés sur lui avaient formé une protection contre les autres.

– Heureux de vous retrouver! s'exclama Kinam.

– Et moi donc! fit le prince.

Tous se dirigèrent vers la cité. Lorsqu'elle fut seule avec Pakkal, Laya s'approcha de son oreille et lui murmura:

– Merci de m'avoir sauvée.

Puis elle lui appliqua un baiser sur la joue.

Les Doigtés étaient tout près de Tuzumab et de Nalik. Ils avançaient lentement, en tâtant avec soin chaque parcelle du sol.

Nalik observait l'homme, à ses côtés, qui agissait de manière quelque peu étrange, murmurant des paroles incompréhensibles. Vivre dans un tel endroit, songea-t-il, était suffisant pour perdre un peu la boule. Lorsqu'il voyait que son compagnon le regardait, Tuzumab lui faisait signe, en mettant son index sur sa bouche, de ne faire aucun bruit. Pourtant, lui-même en faisait.

Le jeune Maya avait arrêté de compter les Doigtés. Chaque fois qu'il tournait la tête, d'autres s'ajoutaient, de sorte qu'il était impossible de fuir. Ce n'était qu'une question de temps avant que les créatures ne les détectassent. La première fois, elles avaient été relativement calmes. Ce coup-ci, Nalik doutait qu'il s'en sortirait à si bon compte.

Tuzumab était de plus en plus agité et il ne cessait de marmonner. Il fixait Nalik et lui faisait signe de se taire alors qu'il ne parlait même pas.

– Calmez-vous, chuchota le garçon.

– Tais-toi.

Puis, sans crier gare, l'homme bondit et fit face aux Doigtés. Nalik avait les yeux tout ronds.

– Vous êtes dans ma demeure. Je vous ordonne de vous en aller.

Les Doigtés s'immobilisèrent. Puis l'un d'eux se détacha du groupe. Nalik reconnut Ta Nil, le seul qui pouvait parler sa langue.

– Nous allons bientôt te dévorer, dit Ta Nil.

– Je ne suis pas seul, répliqua Tuzumab. Vous devrez *nous* dévorer.

La Fourmi rouge n'en croyait pas ses oreilles. Était-ce une tactique si géniale qu'elle paraissait stupide ou Tuzumab était-il fou ? Nalik se sentit obligé de se relever.

– J'espère que vous savez ce que vous faites, lança-t-il, les mâchoires crispées.

Le jeune Maya sentit des doigts palper ses jambes. Il savait que, bientôt, les bouches commenceraient à le mordiller et cela le terrorisait.

– Umab veut vous rencontrer, déclara Ta Nil.

Nalik ne voyait pas comment il pouvait se sortir de cette situation. Même s'il parvenait à traverser la barrière de Doigtés, où pourrait-il aller ? Puisque Ta Nil lui offrait une occasion de discuter, il la saisit, répétant une question qu'il lui avait déjà posée, bien qu'il connût la réponse. Il devait gagner du temps.

– Qui est Umab ?

– Notre dieu, répondit Ta Nil. Il veut vous rencontrer. Après, nous vous dévorerons.

– Eh bien, je serai ravi de le voir! Vous allez nous mener à lui?

Tuzumab s'énervait de plus en plus. Il ne cessait de se tordre les mains. Il semblait être sur le point d'exploser.

– Calmez-vous, lui ordonna Nalik. Pour l'instant, nous sommes saufs.

Cela ne fit que contrarier davantage Tuzumab. Il s'avança d'un pas et dit:

– Je vois… je vois une sarbacane dans ma main.

Le garçon vit l'arme apparaître dans la main de l'homme qui, aussitôt, la porta à sa bouche.

– Non! cria-t-il en se précipitant vers lui.

Mais Tuzumab avait déjà soufflé dans le tube pour lancer un projectile. Nalik l'entendit fendre l'air. Cependant, il n'y eut aucune réaction parmi les Doigtés.

Avant que la Fourmi rouge ne pût lui arracher la sarbacane, l'homme recommença. Même résultat.

– Il ne faut pas les agresser, lui dit Nalik.

Sans cesser de fixer les Doigtés d'un regard hargneux, Tuzumab repoussa son jeune compagnon.

– Je vois… je vois une lance.

Lorsqu'une lance apparut soudainement, la sarbacane que Nalik avait dans sa main se volatilisa. Tuzumab s'empara de sa nouvelle arme et se mit en position d'attaque. Le garçon n'osa pas trop s'approcher de lui, de crainte d'être piqué par la pointe acérée de la lance. Le pauvre homme avait complètement perdu la tête.

– Il n'y a pas de raison de faire cela, affirma Nalik.

Sans détacher ses yeux des Doigtés, Tuzumab répliqua:

– Ils m'observent depuis toujours. Ils sont là, dans la pénombre, à attendre que je baisse la garde pour m'affronter. Je suis prêt, maintenant.

– Mais ils viennent juste d'arriver!

– Tout à l'heure, je ne voulais pas t'alarmer, mais ils étaient là. Ils t'observaient aussi. Ils ne te laisseront plus jamais tranquille. On doit les tuer.

La lueur du feu bleu se reflétait sur la pointe en obsidienne de la lance. Nalik s'avança d'un pas et tenta encore de convaincre l'homme:

– Laissez tomber votre arme. Ils ne nous veulent pas de mal. Pas pour l'instant, en tout cas.

Cependant, cela ne servit à rien. Tuzumab attaqua. Avec une vigueur surprenante, il donna des coups de lance, mais ils n'eurent aucun effet. Pour les Doigtés, l'arme n'existait pas, car leur vue était trop mauvaise pour qu'ils la distinguassent. Elle ne pouvait donc pas les atteindre.

Les créatures poussèrent des cris aigus. Puis Ta Nil leva une main et déploya ses longs doigts. Les bouches crachèrent en direction de Tuzumab une grande quantité de liquide visqueux et malodorant. Celui-ci donna encore quelques coups de lance, mais avec de plus en plus de difficulté. Plus le liquide durcissait sur sa peau, plus il avait du mal à se mouvoir. Les autres Doigtés avancèrent et imitèrent leur chef. Tuzumab vit sa lance disparaître et il fut pétrifié dans une position d'attaque.

Nalik devait réagir. Il ne savait pas si le liquide qui recouvrait l'homme l'avait tué ou seulement immobilisé. Il choisit la voie de la diplomatie.

– Je suis désolé, je ne sais pas ce qui lui a pris. Votre présence lui a fait perdre la tête, je crois.

Ta Nil s'avança.

– Je veux parler à votre Umab, s'empressa d'ajouter le garçon.

Le Doigté leva la main.

– Je… je vais vous suivre. Je ne vous opposerai aucune résistance.

Nalik vit les bouches s'ouvrir. Avec ses bras, il se protégea le visage.

– Non !

En entrant dans la cité, Pakkal sentit que Laya le fixait. Il n'osait pas se retourner et affronter son regard. Il avait honte de ce qui venait de se produire. Elle l'avait vu en Chini'k Nabaaj, elle l'avait vu agir avec une grande violence. Il avait totalement perdu le contrôle.

Tel que prévu, Katan et Frutok partirent à la recherche de Serpent-Boucle en précisant qu'ils éviteraient la Forêt rieuse. Kinam décida de faire le tour de la cité, question de s'assurer que la situation était stable, et Zipacnà retourna aider les citoyens à réparer leurs huttes. Pakkal se retrouva seul avec Laya. Au pied du temple royal, il s'arrêta et lui posa la question qui lui brûlait les lèvres :

– Pourquoi me regardes-tu comme cela ?

– J'ai peine à croire que tu peux te transformer en cette *chose*.

– Cette *chose*, c'est l'autre partie de mon Hunab Ku. Je ne sais quand il va apparaître et j'en suis désolé.

– Tu étais tellement... différent.

– Je le sais, mais pour l'instant je ne peux rien y faire.

Laya s'assit sur la première marche du temple.

– Tu es du bon côté. Ce n'est pas grave.

Pakkal songea aux doutes qui l'avaient assailli alors qu'il en décousait avec Selekzin. C'était effrayant. Il avait été si près de basculer du mauvais côté! La tentation était si forte!

– Tu as raison, lui répondit-il malgré tout, je suis du bon côté.

Il y eut un silence. La princesse regarda le ciel rempli de chauveyas, puis ramassa un caillou et le lança plus loin.

– Parle-moi de Selekzin, demanda-t-elle.

– Selekzin?

– Oui. Parle-moi de lui.

– Pourquoi? Il n'y a rien à dire d'intéressant sur lui. D'aussi loin que je me rappelle, il m'en a fait baver. Il n'a jamais raté une occasion de me harceler.

– C'est... c'est un beau garçon.

Le prince tourna la tête lentement et scruta le visage de Laya, histoire de vérifier si elle était sérieuse. Elle le semblait.

– Qu'est-ce que tu racontes?

– Je dis qu'il est beau, c'est tout.

– L'as-tu regardé? Le Monde inférieur l'a pourri.

Il y avait un malaise. Pakkal ne pouvait croire ce qu'il venait d'entendre. Il eut envie de lui demander : « Et moi, tu me trouves beau ? », mais il ne le fit pas.

– C'est un être mesquin. Son père, Zine'Kwan, l'a élevé de telle façon qu'il nous déteste. Il n'y a rien de bon en lui.

– C'est impossible, répliqua Laya. Il y a toujours quelque chose de bon chez une personne, même la plus vilaine.

Le prince n'en croyait pas ses oreilles : Laya prenait la défense de Selekzin !

– Fais-moi confiance, lui dit-il. Même avant d'être corrompu par Xibalbà, il était mauvais. Même si j'ai fait des efforts pour devenir son ami, il m'a toujours profondément détesté. Il était le chef des Fourmis rouges et il a commis beaucoup de délits dans la cité. Bien sûr, ce n'était jamais lui, mais on sait qu'il les commandait.

– As-tu des preuves de ce que tu avances ?

Pakkal perdait peu à peu son sang-froid.

– Je n'ai pas besoin de preuves. C'est connu de tous.

– Il faut des preuves. Sinon, c'est injuste.

Le garçon se racla la gorge. Il avait peine à croire qu'il devait prouver à son amie que Selekzin était un vaurien.

– Laya, il t'a embrassée de force !

– Et alors ?

– Ce n'est pas bien ! Il n'avait pas le droit de faire ça. C'est un manque de respect flagrant !

– Cela dépend du point de vue.

Pakkal n'aurait jamais osé faire une chose pareille. On lui avait appris que l'on ne pouvait forcer quelqu'un à faire quoi que ce soit contre son gré. Surtout pas l'embrasser ! Le prince était offusqué et Laya s'en aperçut.

– Ne te fâche pas. Je ne te parlerai plus de lui si tu réagis de la sorte. Tu n'as pas à être jaloux.

Pakkal bondit.

– Jaloux ? Moi ! De cet énergumène ? Jamais !

On interpella le prince.

– Pakkal ?

C'était Kinam. Il s'avançait à pas rapides.

– Qu'y a-t-il ?

– On m'a rapporté que les chauveyas se sont approchés de la cité dans la Forêt rieuse. Nous sommes encerclés. L'attaque est, à mon avis, imminente.

– Ils n'envahiront pas la cité avant le lever de Hunahpù, demain.

– Vous êtes optimiste, dit le chef de l'armée de Palenque.

– J'ai été informé qu'ils attendent une position favorable de Chak Ek'. Cette position, l'astre l'aura demain matin.

– De qui tenez-vous cette information, prince Pakkal?

Le garçon hésita. Il savait qu'à compter du moment où il allait mentionner le nom du roi de Calakmul, il créerait une commotion.

– C'est Serpent-Boucle qui me l'a dit, finit-il tout de même par répondre.

Kinam garda son sang-froid.

– Comment pouvez-vous lui faire confiance après ce qu'il a fait à notre cité?

La position de Pakkal était délicate. Il devait maintenant se porter à la défense de l'homme qui avait apporté tant de malheurs à Palenque.

– Ai-je un autre choix que de le croire? Notre seule chance de survie est de libérer les guerriers célestes pour qu'ils viennent défendre la cité. Dès que Nalik me fournira les informations nécessaires, je partirai à leur recherche. Je reviendrai avec eux avant le lever du jour.

Même si Kinam s'abstint de tout commentaire, Pakkal remarqua qu'il doutait de lui.

– Faites-moi confiance, Kinam. Je vais revenir avec les guerriers célestes et Palenque sera sauve.

– La position qu'ils ont adoptée indique qu'ils sont sur le point de…

Le prince le coupa :

– C'est de l'intimidation. Ils veulent que nous nous tenions sur nos gardes. L'attaque aura lieu demain matin. Dites à vos soldats de se reposer.

Le visage de Kinam se durcit. Il baissa la tête en signe d'acquiescement et s'en alla.

En regardant l'ancien garde personnel de sa mère s'éloigner, Pakkal espéra qu'il avait raison de faire confiance à Serpent-Boucle. Il se devait de réussir. Il n'avait aucune marge de manœuvre.

Le prince se dirigea vers le *tunich*, dans le Groupe de l'Arbre. Il devait parler à Nalik.

Nalik était emprisonné dans un cocon formé d'une substance d'une grande dureté. Il tentait de s'en défaire, mais il n'était pas assez fort. Il n'arrivait même pas à faire craquer le cocon et il était plongé dans l'obscurité totale. L'immobilité de ses membres, à la longue, le fit souffrir. Autre source de douleur : il entendait Tuzumab se plaindre.

Les Doigtés entreprirent de traîner le garçon qui eut l'impression que ce trajet ne se terminerait jamais, d'autant plus que son compagnon d'infortune n'avait de cesse de vociférer. Mais cela ne semblait déranger aucunement les créatures aux longs doigts.

Enfin, on arrêta de trimbaler le cocon de Nalik. Puis on frappa dessus avec un objet contondant. Le jeune Maya fut aveuglé par une vive lumière orangée. On lui libéra seulement la tête et on le redressa. Ses yeux mirent quelques instants à s'habituer à ce nouvel environnement.

Il était entouré de Doigtés. En face de lui, il aperçut un trône vide, formé de branches. Nalik vit que l'on soulevait le cocon qui contenait Tuzumab pour le placer à ses côtés.

— Je savais qu'un jour vous attaqueriez. Je le sentais. Personne ne m'a jamais cru quand je parlais de menaces. Mais, cette fois, j'ai eu raison. Ha! ha!

L'homme était déchaîné.

— Faites-le taire! dit une voix grave.

Ta Nil se positionna en face de Tuzumab et leva la main. Un jet de fluide gluant atterrit sur sa bouche, ce qui lui coupa la parole. Les Doigtés autour émettaient des bruits aigus. Ils se turent lorsqu'ils virent leur chef se placer devant le trône et baisser la tête.

– Ô grand Umab! comme vous me l'aviez demandé, je vous ai ramené les deux êtres. C'est l'un d'eux qui affirme provenir du Monde inter-médiaire, même si ce qu'il dit n'a aucun sens.

– Lequel? s'enquit la voix grave.

– Celui qui peut s'exprimer.

– Amène-le!

Ta Nil fit signe aux deux Doigtés qui maintenaient le cocon de Nalik en équilibre d'approcher. Celui-ci constata alors que, finalement, il y avait quelque chose sur le trône. C'était une poupée en chiffon rembourrée avec du foin. Ses yeux et son nez étaient constitués de morceaux de jade. Sa bouche n'était qu'une fente dans le tissu. Tuzumab remua et produisit un bruit sourd.

– Ta Nil, fit la poupée, laisse-nous.

Le chef des Doigtés obéit. Dès qu'ils furent seuls, ou du moins sans témoin pouvant comprendre leur langue, la poupée déclara:

– Je veux t'entendre dire que tu peux me sortir de ce trou.

La profonde voix ne correspondait pas du tout aux caractéristiques physiques du person-nage. Nalik, décontenancé, répondit:

– Peut-être.

– Il n'y a pas de «peut-être», mon vieux, tu dois me libérer de cette bande d'énergumènes qui me prennent pour leur dieu.

Tuzumab se démenait de plus en plus.

– On peut permettre à cet homme de parler ? Je crois qu'il a quelque chose d'intéressant à dire.

– S'il peut me faire sortir d'ici le plus vite possible, certes.

La poupée fit un signe avec son bras et ordonna :

– Donnez-lui la parole !

Aucun des Doigtés ne bougea.

– Quels idiots ! Retirez-lui la dégueulasserie qu'il a sur la bouche !

La poupée pointait sa main de foin successivement vers Tuzumab et vers sa bouche. Cette fois, un des Doigtés, qui s'était approché pour mieux voir les gestes d'Umab, comprit. D'un coup sec, il retira à Tuzumab ce qui l'empêchait de parler.

– C'est la poupée de Neliam ! cria ce dernier.

La poupée bondit sur sa chaise.

– Neliam ! Il a dit « Neliam » ?

– Oui ! confirma Tuzumab. Je te cherche depuis si longtemps !

– Je veux la retrouver, se plaignit la poupée. J'ai été conçue pour être cajolée, habillée, déshabillée, traînée par terre, embrassée, mais sûrement pas pour donner des ordres à des bizarroïdes comme ces Doigtés. Neliam me manque tellement ! Tu l'as rencontrée ?

– Oui. Elle est si malheureuse depuis qu'elle t'a perdue. Je lui ai promis qu'un jour j'allais vous réunir.

Ta Nil s'approcha, alerté par les éclats de voix.

– Ô grand Umab, est-ce que tout va bien?

– Oui! Très bien! Permets à ces gens de bouger. Je veux que tu les libères.

– Pourrons-nous les dévorer?

– Seulement s'ils ne peuvent pas me faire sortir d'ici, répliqua la poupée en s'esclaffant.

Nalik regarda Tuzumab en grimaçant.

Ta Nil émit des bruits aigus. Plusieurs Doigtés se mirent à frapper les cocons. Tuzumab et Nalik furent enfin libres de bouger.

La poupée leur raconta ce qu'elle savait au sujet des Doigtés. Depuis plusieurs générations, ils vivaient dans le ventre de Cabracàn. Leur corps s'était adapté au milieu: leurs doigts étaient devenus très longs et ils avaient perdu la vue. Ils se savaient dans le Monde inférieur, mais ignoraient tout du reste. Ta Nil était le seul à connaître la vieille langue, et parce que la poupée la parlait, ils avaient cru qu'elle était leur dieu.

La poupée, qui n'avait pas de nom, ignorait comment elle s'était retrouvée dans le ventre de Cabracàn. Ce qu'elle savait, cependant, c'est qu'elle avait été offerte par le chef des quatre cents guerriers à sa fille, Neliam. Puis, un jour, Zipacnà les avait tous propulsés dans le ciel. Depuis ce temps, Neliam avait cessé de vieillir et n'avait eu pour seule compagne que sa poupée.

– Elle sait comment accéder aux guerriers célestes, non? lui demanda Nalik.

– Oui, elle le sait, répondit la poupée. Mais elle ne peut y parvenir seule. Elle attend depuis longtemps la personne qui pourra l'aider.

Nalik était heureux; il allait pouvoir fournir une information importante à Pakkal. Et si la seule personne qui pouvait aider Neliam était le prince de Palenque?

– Elle a promis de le dire à la personne qui lui rapporterait sa poupée, fit Nalik.

Tuzumab toussa, puis redressa la tête et ouvrit grands les yeux. De manière saccadée, sa tête tourna de gauche à droite. Elle s'arrêta en fixant Nalik. Sa bouche articula:

– Nalik? Tu m'entends? C'est Pakkal.

En retirant ses pieds du *tunich*, le prince savait ce qu'il devait faire pour que les guerriers célestes vinssent à la rescousse de la cité. Son grand-père avait eu raison de lui demander de parler à Nalik. Pakkal était paré à quitter Palenque pour accomplir sa mission.

– Alors? l'interrogea Laya.

– Je suis prêt à partir. Mais, avant tout, je dois trouver Cabracàn.

– Le géant à tête de tortue? Pourquoi donc?

Pakkal lui raconta l'histoire de Neliam et le secret qu'elle détenait : comment accéder aux quatre cents guerriers célestes. Mais pour qu'elle le révélât, on devait lui remettre sa poupée qui était avec Nalik, dans le ventre du frère de Zipacnà. La Fourmi rouge allait essayer de trouver un moyen de se sortir de là.

Le prince se rendit au temple royal et demanda aux membres de l'Armée des dons de se rassembler immédiatement. Ils étaient presque tous là : Siktok le lilliterreux, Kinam le chef de l'Armée de Palenque, Takel la maîtresse des jaguars, Laya, Kalinox le vieux scribe et son élève, Pak'Zil. Dame Kanal-Ikal, la grand-mère de Pakkal, aussi. Zipacnà regardait dans la pièce par une fenêtre. Katan et Frutok arrivèrent quelques instants après le début de la rencontre. Ils n'avaient pas réussi à retrouver Serpent-Boucle.

Pakkal leur raconta ce qu'il savait. Ne restait maintenant qu'à mettre la main sur Cabracàn, à s'emparer de la poupée et à la remettre à Neliam.

– Facile! s'exclama Katan sur un ton ironique. On pourrait aussi, en même temps, se prendre par la main et danser autour d'Ah Puch en chantant.

– Vous savez où se trouve Cabracàn? demanda Kinam.

– Pas le moins du monde, répondit le prince.

Pak'Zil prit la parole:

– Et combien de mois avons-nous pour réaliser tout cela?

Kinam ricana.

– Nous devons y arriver avant demain matin, fit Pakkal.

– Demain matin! s'écria le jeune scribe. C'est impossible!

– L'impossible, c'est notre spécialité, affirma Frutok.

Pak'Zil se tourna vers le prince.

– Pourquoi doit-on toujours être pressés? N'y aurait-il pas moyen d'avoir une mission où on pourrait prendre notre temps? Question de savourer tous les rebondissements et toutes les péripéties…

– Désolé, Pak'Zil, peut-être la prochaine fois, répliqua Pakkal.

Kinam manifesta son désir de parler. Le prince lui donna le feu vert d'un signe de tête.

– Je soupçonne que les troupes de Xibalbà ne sont pas très loin. Cabracàn doit être avec elles. Je suggère une équipe réduite pour les retrouver. Il sera plus aisé de circuler dans la Forêt rieuse.

– Bonne idée, lança Laya. Qui vient avec nous?

Takel s'avança.

– Moi.

– Moi aussi, dit Frutok.

– Et moi, je peux y aller?

C'était Zipacnà qui venait de poser la question. Kinam s'avança vers la fenêtre où paraissait un de ses yeux à l'iris vertical.

– Tu crois vraiment que tu pourrais approcher de leur campement sans te faire remarquer? Le but n'est pas d'être repéré le plus rapidement possible.

Kalinox déclara en regardant son élève:

– Tu devrais y aller aussi. Cela te permettrait de t'aérer la cervelle et de te changer les idées. De toute façon, tu seras de retour demain matin. On pourra reprendre la lecture des codex de Xibalbà, comme si de rien n'était.

Pak'Zil se tourna vers le prince.

– J'y vais à la condition que je n'aie pas à grimper sur le dos d'un géant quelconque ou dans un arbre ou une hutte volante.

– Promis, répondit Pakkal.

– Mais j'y pense… Comment comptez-vous libérer Nalik et la poupée ? lui demanda Pak'Zil. Ils sont dans le ventre de Cabracàn…

– C'est pour ça que tu viens avec nous, mon ami le scribe. C'est pour réfléchir à ces problèmes qui ne semblent pas avoir de solutions.

Kalinox tapa sur l'épaule de Pak'Zil.

– Il y a toujours une solution à un problème.

– Toujours ? fit Pak'Zil qui venait soudainement de prendre conscience de la pression qu'on lui mettait sur les épaules.

– Non, pas toujours, rectifia le vieil homme. Mais souvent. N'oublie pas que tu as mon sifflet autour du cou. Prends-en soin.

Avant que Pak'Zil ne changeât d'idée, Pakkal intervint :

– Bien. Allons-y.

– Un inztant, lança Siktok. Il y a des Zauveyas partout. Comment allez-vous faire pour zortir de la zité ?

Tous les regards se tournèrent vers Pak'Zil. Il leva les bras.

– Ne me regardez pas comme ça, ça m'intimide. Je ne peux pas penser !

– Je crois que je sais comment, déclara Kinam. Il suffit de faire diversion. Mais il ne faudra pas les attaquer, puisque la réplique risque d'être incontrôlable.

– À mon avis, parce qu'on ne sait pas combien ils sont, cela ne fonctionnera pas, dit Pakkal. Kinam, n'avez-vous pas déjà entendu parler d'un chemin secret qui serait tout près de la rivière Takin Ha ? Il me semble avoir déjà entendu ma mère parler de cela.

– Oui, vous avez raison. Vous pourriez l'utiliser pour quitter la cité sans être vus.

Après l'épisode traumatisant de Calakmul, dame Zac-Kuk avait cru bon de faire construire un tunnel le long de la rivière Takin Ha. Ce passage souterrain menait directement dans la Forêt rieuse. En cas d'attaque, elle aurait permis à la famille royale, entre autres, de se sauver.

– Je n'entrerai jamais là-dedans, dit dame Kanal-Ikal. Il doit y avoir des toiles d'araignée !

En entendant le mot « araignée », Pakkal se demanda où était Loraz. Il s'en inquiéta, mais se dit qu'il n'avait pas le temps de la chercher.

Le prince, Laya, Pak'Zil, Frutok et Takel suivirent Kinam qui les guida vers le souterrain secret. Il fallait savoir où il était situé; Pakkal n'aurait jamais pu en découvrir l'entrée recouverte de lianes.

– À bientôt, lui dit Kinam.

Le garçon pensa, en voyant le regard abattu du chef de l'armée de Palenque, qu'il considérait ses chances de revenir sain et sauf de cette expédition comme très faibles. Pakkal lui fit un sourire franc: lui y croyait.

Pour pouvoir circuler dans le tunnel, le prince devait se pencher. Ce passage avait été conçu pour n'être utilisé qu'en cas d'extrême urgence. Les parois avaient été solidifiées par des pierres plates que l'on avait empilées les unes sur les autres. Cela avait été un travail ardu. Malheureusement, un ouvrier était mort durant la construction du tunnel, enseveli sous des tonnes de terre.

– Il va y avoir un problème, dit Frutok. Je ne peux pas entrer là-dedans, c'est beaucoup trop étroit.

Takel s'approcha et glissa sa tête dans l'entrée.

– Même chose pour moi, déclara-t-elle. Il faudra trouver une autre solution.

Le visage de Pak'Zil avait blêmi. Pakkal s'en rendit compte.

– Est-ce que ça va?

– Non, fit l'apprenti scribe. Moi non plus, je ne peux pas entrer là-dedans.

– Voyons, s'écria Laya, tu n'es pas *si* gros!

– Ce n'est pas une question de grosseur. C'est… euh… l'endroit. Je ne supporte pas d'être dans un espace clos.

– C'est une blague? demanda la jeune fille.

Pak'Zil secoua vigoureusement la tête.

– Non, non, pas du tout. Quand je me retrouve dans un lieu comme celui-là, je panique.

Laya mit ses mains sur ses hanches.

– Y a-t-il autre chose que nous devrions savoir? Je te rappelle que nous partons en mission pour trouver Cabracàn. Ce n'est pas le moment de faire des chichis.

– Je crois que c'est ma seule peur. Avec celle des hauteurs.

Pakkal intervint:

– Bon, eh bien, Laya et moi emprunterons le tunnel, tandis que vous allez devoir passer par la lisière de la Forêt rieuse. Takel, tu penses que tu peux prendre Pak'Zil sur ton dos?

– Bien sûr, répondit-elle en se baissant.

Avant de monter sur le jaguar, Pak'Zil toucha la peau qui recouvrait son dos.

– C'est doux, fit-il. C'est la première fois que je touche un cuir qui a une texture aussi souple. Dis-moi, de quel animal s'agit-il?

– Un Maya, répliqua succinctement Takel.

Le scribe retira prestement sa main.

– Une peau de Maya?

– Tu as bien compris. Il s'agit des restes d'un homme qui s'était mis en tête de me chasser.

Frutok s'esclaffa. Pak'Zil hésita, puis il grimpa sur le dos du jaguar.

– Ne va pas trop vite, s'il te plaît, lui dit-il. J'ai l'estomac fragile.

Laya leva le doigt.

– Je peux en témoigner.

Pakkal marcha vers la Forêt rieuse.

– Allons voir s'il y a beaucoup de chauveyas.

Ils n'eurent pas à chercher longtemps avant de repérer des soldats de l'armée de Xibalbà. Le prince comprit l'énervement de Kinam. Cachés derrière une hutte abandonnée dont le toit avait été arraché, ils observèrent les chauves-souris géantes.

– Je ne sais pas comment on va s'y prendre, souffla Pak'Zil.

Même s'ils étaient dissipés et se chamaillaient, les chauveyas ne traversaient pas la frontière entre Palenque et la forêt. Entre eux, il n'y avait pas plus d'une longueur d'aile d'espace. Rien ne pouvait passer, à moins de...

– J'ai une idée, lança Pakkal.

Lorsqu'il eut fini de raconter son plan, tous obtempérèrent : Pakkal, à l'aide de guêpes, allait créer un passage entre les chauveyas pour que Frutok et Takel s'y faufilassent. Avec un peu de chance, les chauves-souris géantes n'y verraient que du feu.

Le prince serra les poings. Quelques instants plus tard, une nuée de guêpes se mirent à embêter les chauveyas qui eurent le mauvais réflexe : ils tentèrent de les chasser en faisant de grands gestes des ailes. Les guêpes commencèrent donc à piquer. Il y en avait tant que les soldats de Xibalbà se sauvèrent.

– Accroche-toi bien, recommanda Takel à Pak'Zil.

– Quoi ?

Le hak et la maîtresse des jaguars, avec le jeune scribe sur son dos, profitèrent de cette fenêtre pour entrer dans la Forêt rieuse. Pak'Zil était couché sur Takel et avait les paupières solidement fermées.

– Pas trop vite !

Une fois que Frutok et Takel eurent disparu, Pakkal remercia les guêpes de leur aide. Puis il pénétra dans le tunnel. Ce dernier n'avait pas été conçu pour permettre une agréable excursion, loin de là. Le prince avançait penché et, à un certain moment, il dut se mettre à quatre pattes. De plus, il ne voyait rien.

– Je me sens comme un tapir, commenta Laya qui était aussi à quatre pattes.

Pakkal stoppa pour se frotter le nez qui lui démangeait. Le visage de Laya heurta ses fesses.

– Tu dois me prévenir quand tu t'arrêtes, grogna-t-elle, insultée.

– Désolé!

Le sol était humide et spongieux. Il faisait froid et les deux adolescents avaient de la difficulté à avancer.

– Mes genoux me font mal, se plaignit Laya. On arrive bientôt?

– Je n'en ai aucune idée!

Effectivement, Pakkal ignorait la longueur du tunnel. Il éprouva beaucoup de sympathie pour ceux qui l'avaient creusé. Cela avait dû être pénible.

Le corridor de pierre devenait de plus en plus étroit. Il y avait de nombreux insectes sur le sol. Le prince n'en avait pas peur, mais il ne voulait pas les écraser. Par ailleurs, ses cheveux étaient recouverts de toiles d'araignée. Cela l'écœurait un peu.

Depuis un bon moment, Pakkal n'avait pas entendu Laya parler.

– Qu'est-ce qui se passe? Tu commences à prendre goût au comportement du tapir? Tu es chanceuse, c'est moi qui détruis les toiles d'araignée.

Pas de réponse.

– Laya?

Rien. Pakkal s'arrêta.

– Laya? Laya?

La princesse avait disparu.

Pakkal n'avait pas d'autre choix que de continuer. Le tunnel était si étroit qu'il ne pouvait même pas se retourner. Et pas question d'y aller à reculons! Il cria encore une fois le nom de la princesse, mais sans résultat. Une fois à l'extérieur, il devrait refaire le chemin en sens inverse pour la retrouver.

Le prince songea que la route était bientôt terminée, puisque qu'il y avait de plus en plus d'espace. Il put enfin se mettre debout, les mains tendues devant lui pour repérer les obstacles. Quelques pas plus loin, il buta contre un mur de pierre. À tâtons, il découvrit la présence d'une échelle. Il grimpa. Il y avait une dizaine d'échelons, puis plus rien. Pakkal n'était pas encore arrivé tout en haut. Persuadé qu'une autre échelle partait sûrement de là, il toucha ce qui l'entourait. Cependant, il ne trouva rien qui pût le mener plus haut. Il prit le risque. Sur le dernier échelon, il sauta. Non seulement cela ne lui servit à rien, mais il chuta. Au dernier moment, il parvint à s'agripper d'une main à un barreau de l'échelle. Ce dernier craqua, puis céda. Le garçon atterrit lourdement sur le sol.

Il resta quelques instants sur le dos afin de penser à une solution. Il était près du but mais, en même temps, cela lui semblait bien loin.

Pakkal n'avait rien sur lui qui pût l'aider. Il ouvrit la sacoche accrochée à ses hanches. Il trouva le jade intemporel qui ne lui serait d'aucune utilité. Puis il sortit la petite boîte rouge qu'Aya Kun lui avait offerte au Village des lumières. Celui-ci lui avait dit que la crème qu'elle contenait devait être utilisée dans l'obscurité, puisque la lumière rendait ses effets inopérants, et aussi que, une fois appliquée sur ses ongles, elle pouvait augmenter grandement la force de ses mains ou de ses pieds. Ne sachant pas à quoi s'attendre mais n'ayant rien à perdre, le prince décida que c'était le bon moment de l'essayer.

Il en appliqua une mince couche sur un de ses gros orteils. Il patienta un peu; rien ne se produisit. Il en mit sur ses onze orteils restants. Il se releva. Parce qu'il ne se passait rien, il songea que ce devait être un de ces trucs qui ne marchaient que lorsqu'on y croyait. Sa grand-mère maternelle lui avait un jour révélé qu'il n'y avait aucune preuve que la plante médicinale qu'elle lui donnait – quand il avait mal au cœur après avoir mangé trop de graines de *ka-ka-wa* – pouvait faire disparaître la nausée. Elle n'avait eu à lui dire qu'une seule fois que c'était le cas et cela avait fonctionné. Pakkal en avait été offusqué, au début, puis il en avait ri.

En regardant ses orteils, le prince constata qu'ils brillaient dans le noir. À un point tel qu'il pouvait maintenant voir ce qui l'entourait. Il se dit que si c'était le seul effet que la crème avait, c'était décevant, d'autant plus qu'il n'y avait personne autour de lui à qui le montrer.

Alors qu'il se demandait comment il allait faire pour sortir de ce trou, Pakkal eut l'impression soudaine que quelque chose chauffait sous ses pieds. Pourtant, il portait ses sandales. Il scruta le sol; il n'y avait rien. De chaude, la plante de ses pieds devint brûlante, comme s'il marchait sur des charbons ardents. Il leva les pieds rapidement, puis sauta sur place.

À sa grande surprise, les sauts qu'il faisait étaient de plus en plus hauts. Si hauts, en fait, qu'il dépassa la limite où les barreaux de l'échelle étaient cassés. Lorsqu'il retombait, il prenait un autre élan et parvenait à atteindre une hauteur encore inégalée. Enfin, il bondit si haut qu'il se cogna la tête contre un morceau de terre qui, une fois tombé, laissa s'immiscer la lumière. Un dernier saut et le garçon se retrouva dans la Forêt rieuse. La sortie était située dans le creux d'une énorme souche dont il se rappelait l'existence pour l'avoir vue à plusieurs reprises au cours de ses randonnées.

Il n'y avait pas âme qui vive aux alentours. Pakkal sortit de la souche, puis se détendit les muscles. Laya. Il devait la retrouver. Il n'avait vraiment pas envie de retourner dans ce tunnel humide et noir. Il jeta un œil autour de lui, histoire de vérifier si Frutok et Takel n'étaient pas dans les parages. Il n'osa pas crier leurs noms, de crainte de se faire repérer par des chauveyas.

Alors qu'il était résolu à refaire le parcours, le prince entendit un cri aigu. Il se retourna et vit Laya qui se dirigeait vers lui, courant à toutes jambes, évitant les obstacles qu'elle trouvait sur son chemin. Et pour cause, trois chauveyas la poursuivaient.

Pakkal resta bouche bée quelques instants. Lorsqu'elle arriva à sa hauteur, la princesse ne s'arrêta pas et ne prononça pas un mot. Il se lança à sa poursuite. Il voulait savoir ce qui s'était passé, mais il se dit que les circonstances ne se prêtaient pas à un interrogatoire en règle.

L'un des chauveyas parvint à rattraper Pakkal et lui donna un coup de pied dans le dos, ce qui lui fit perdre l'équilibre. Le prince glissa sur le tapis de feuilles mortes. En se retournant, il constata que la chauve-souris géante s'était arrêtée à quelques mètres de lui et qu'elle revenait à la charge en volant au ras du sol.

Pakkal se pencha et prit son élan pour sauter. Il parvint à atteindre la branche d'un arbre et s'y accrocha. Il regarda en bas et vit que le chauveyas le cherchait. Avant que la bête ne levât les yeux et ne l'aperçût, il se laissa choir. Il atterrit sur son dos, agrippa ses deux oreilles et serra ses deux jambes autour de son corps, car il savait que le chauveyas allait tenter de le désarçonner.

Le prince ne s'était pas trompé. La chauve-souris géante se démena pour se libérer de son emprise. Puis elle exécuta une roulade. Mais Pakkal tint bon. Il savait comment maîtriser cet animal, il avait de l'expérience. Il donna un coup sec sur les oreilles du chauveyas qui, aussitôt, s'envola. La bête fit une vrille, puis une autre, mais le garçon ne lâcha pas prise.

Le chauveyas alla rejoindre les autres soldats de Xibalbà dans le ciel. Lorsque ces derniers virent qu'il y avait quelqu'un sur lui, ils s'énervèrent et chargèrent l'importun pour tenter de le faire tomber du dos de leur congénère.

Pakkal fut agrippé par deux chauves-souris géantes. À force de tirer sur ses bras, elles parvinrent à le décrocher de sa monture. Enfin, elles le laissèrent tomber dans le vide.

– Attrapé!

Pakkal était sur le point de chuter dans un arbre lorsqu'il sentit qu'on lui enserrait les hanches. C'était Katan.

– Tu as besoin d'aide? demanda-t-il.

Le chef de l'armée de Calakmul était armé de son bâton dont les tranches étaient incrustées d'obsidiennes. Avec une dextérité hors du commun, il flanquait de rudes coups de bâton aux chauveyas qui osaient s'attaquer à lui; ils tombaient comme des mouches.

Katan se posa et relâcha le prince. Ils étaient maintenant protégés par la coupole que formait le feuillage des arbres.

– De la cité, j'ai constaté qu'il se passait quelque chose, affirma le guerrier. Je me suis dit que tu avais peut-être besoin de mon aide.

– Effectivement…

Pakkal s'interrompit et se pencha en criant:

– Attention!

Le Maya-chauveyas se retourna prestement en tenant son bâton parallèlement au sol. Il asséna un coup directement sur le museau de la chauve-souris géante qui s'effondra à ses pieds. Il la regarda en s'appuyant sur son arme.

– Dire qu'il s'agit probablement d'un de mes anciens soldats…

Laya apparut, hors d'haleine.

– Que s'est-il passé? l'interrogea Pakkal. Je te cherchais!

Elle lui fit signe d'attendre quelques instants, le temps qu'elle reprît son souffle. Entre-temps, Frutok, Takel et Pak'Zil vinrent les rejoindre.

– Que s'est-il passé ? lança à son tour le hak.

– Eh bien, si on ne voulait pas être repérés, c'est raté ! dit le prince en regardant au-dessus de lui. Qu'as-tu fait ? demanda-t-il à Laya.

– J'en avais marre de marcher… dans ce tunnel. C'était trop sale. Alors, j'ai… rebroussé chemin.

– Et comment as-tu fait pour passer ? intervint Takel.

– Rien. Je suis passée… comme si de rien n'était.

– *Comme si de rien n'était* ? répéta Pakkal. Que veux-tu dire ?

– Eh bien, je me suis dit que… puisque les chauveyas étaient stupides… ils me laisseraient passer si je n'avais… pas l'air suspect.

– Et je constate que ça n'a pas fonctionné, fit Katan.

– Tu es perspicace, mon cher ami ! s'exclama Frutok.

– Ils savent maintenant que nous sommes à l'extérieur de la cité, conclut le prince. Cela va nous nuire passablement.

– Je ne pouvais pas deviner que ça ne marcherait pas avant d'avoir essayé, grommela Laya, contrariée.

Pakkal jeta un regard autour de lui. Il n'arrivait pas à voir le ciel, mais il percevait les cris des chauveyas très excités.

– Déguerpissons avant qu'ils ne reviennent, déclara-t-il.

Un hululement se fit entendre. Cela n'était pas commun, puisque les hiboux ne se promenaient guère le jour.

L'oiseau passa au-dessus de leurs têtes et, lorsqu'il se posa quelques mètres plus loin, il se transforma en homme grand et mince. Il avait sur la poitrine un tatouage qui représentait un oiseau de proie dévorant un Maya. Le lobe de ses deux oreilles était étiré par un large anneau de pierre.

– Troxik, souffla Pak'Zil.

Troxik était le quatrième seigneur de la Mort, celui-là même qui avait possédé l'esprit de Laya et celui de Pak'Zil. Il était cousin de Buluc Chabtan et d'Ah Puch.

L'air menaçant, il s'approcha des membres de l'Armée des dons. Takel, Katan et Frutok se placèrent devant le prince pour le protéger. Troxik s'arrêta et demanda :

– Où allez-vous comme ça, les enfants ?

– Cela ne te regarde pas, branche morte, répliqua Frutok.

– Je vois…, dit le quatrième seigneur de la Mort. Palenque est sur le point d'être attaquée et vous désertez…

Le hak fit craquer ses doigts.

– Laissez-moi m'occuper de lui.

Il fonça sur Troxik et, à l'aide du poing qu'il avait au bout de sa queue, il tenta de le frapper. Mais le démon l'évita. Profitant du déséquilibre de Frutok, il lui donna un coup dans l'estomac. Le hak en eut le souffle coupé.

– Impressionnant, fit Katan, sarcastique.

– Je viens chercher le prince Pakkal, déclara Troxik. Il fait maintenant partie de Xibalbà. Il nous aidera même à détruire sa propre cité.

Pak'Zil se retourna vers Pakkal.

– Il n'a pas toute sa tête, celui-là.

Le prince ne fit aucun commentaire.

– Eh bien, s'écria Katan, avant de pouvoir partir avec lui, tu devras te débarrasser de nous!

Son bâton dans les airs, il déploya ses ailes et vola jusqu'à Troxik. Il lui flanqua un fulgurant coup de pied. Le seigneur de la Mort tomba sur le dos, mais avant que son adversaire ne revînt à la charge, il lui donna un coup de pied dans les chevilles. Katan perdit l'équilibre et Frutok dut intervenir pour empêcher Troxik de poursuivre le combat.

– Prodigieux, lança le hak à Katan.

Troxik se releva et regarda Pakkal.

– Tu n'as pas dit à tes amis ce qui se passait quand tu étais contrarié?

– Ne me dites pas que vous pleurez…, chuchota Pak'Zil au prince.

Pakkal s'avança.

– Vous êtes tous si arrogants, dit-il. Vous prenez vos désirs pour des réalités.

Takel grogna.

– Laissez-moi vous montrer qui mériterait d'être arrogant entre lui et moi.

Le seigneur de la Mort se pencha et toucha le sol. À cet instant, les membres de l'Armée des dons, sauf Pakkal, commencèrent à s'enfoncer dans le sol, comme s'ils étaient dans des sables mouvants. Laya poussa un cri, tandis que Pak'Zil s'agrippait tant bien que mal à une racine pour ne pas être englouti par la terre. Takel, Katan et Frutok se démenaient aussi.

– Tu n'es effectivement pas comme les autres, déclara le seigneur de la Mort à Pakkal.

Le prince songea que s'il n'était pas absorbé par le sol, c'était probablement grâce à la crème qu'il avait appliquée sur les ongles de ses orteils. Il tendit la main à Laya, mais cela ne servit à rien : elle s'enfonçait lentement.

En regardant Pakkal, Troxik esquissa un sourire menaçant.

– Cela se passe entre toi et moi, maintenant.

Nalik devait sortir du ventre de Cabracàn. Et vite!

Durant sa conversation avec Pakkal par l'entremise de Tuzumab, il se mit à réfléchir à une solution. Mais y en avait-il vraiment une? Les Doigtés étaient ici depuis longtemps, des centaines d'années, peut-être. S'il y avait eu un moyen de sortir de là, ils l'auraient trouvé, non?

Une fois le contact avec Pakkal coupé, Tuzumab revint à lui.

– Nous devons retrouver Neliam, dit-il, comme s'il n'y avait pas eu d'intermède entre la dernière phrase qu'il avait prononcée et le moment où il avait recouvré sa conscience.

Heureusement, sa paranoïa semblait s'être atténuée et il était calme.

– Que s'est-il passé? demanda la poupée, toujours assise sur son trône. Je ne comprends plus rien.

– Je viens de discuter avec K'inich Janaab, répondit Nalik. Je ne sais pas pourquoi, mais il passe par Tuzumab pour entrer en communication avec moi.

– C'est étrange, constata la poupée.

«Pas aussi étrange qu'une poupée qui parle», pensa Nalik.

– As-tu dit K'inich Janaab? fit l'homme.

– Oui.

– Celui-là même qui habite Palenque ?

– C'est cela.

– Je ne me suis rendu compte de rien, déclara l'homme. J'aurais aimé lui parler.

– Vous aurez bientôt l'occasion de le faire parce qu'on doit sortir d'ici et aller à sa rencontre. Quelqu'un a une idée ?

– Si j'en avais une, rétorqua la poupée, il y a longtemps que je serais sortie de ce trou pourri.

Nalik regarda Tuzumab.

– Et vous ?

L'homme semblait perdu dans ses pensées.

– Tuzumab ?

– Oui, désolé. Qu'est-ce que tu disais, mon fils ?

Nalik répéta sa question.

– Je ne me suis jamais posé la question, répondit Tuzumab. Je me plais ici. J'ai tout ce que j'ai toujours désiré et je n'ai pas de soucis. Je ne fais de mal à personne et personne ne me fait de mal.

Le garçon avait de la difficulté à le suivre.

– Et les Doigtés ? demanda-t-il. Ils doivent connaître un moyen d'atteindre l'extérieur, non ?

– Ces exaltés ne pensent qu'à manger et à me vénérer, dit la poupée. Ils savent qu'il existe un ailleurs, Xibalbà, mais ils n'imaginent pas qu'ils peuvent y aller.

La poupée enserra son corps de ses bras.

– J'ai tellement hâte d'être cajolée.

Tuzumab, avec le bout de son pied, grattait le sol. La Fourmi rouge remarqua qu'il semblait préoccupé.

– Que se passe-t-il, Tuzumab ?

– Je sais comment sortir d'ici.

La poupée bondit de son trône.

– Quoi ?!

Elle sauta sur le sol et se mit à genoux devant l'homme.

– Dites-le-moi ! Dites-le-moi !

– Comment fait-on ? lança Nalik.

– Il m'arrive parfois, quand je m'ennuie, de regarder ce qui se passe à l'extérieur. Je crée une fenêtre et je m'assois devant. Le Monde inférieur est assez dégoûtant mais distrayant. Je crois que si je veux voir une porte, on pourra l'emprunter pour sortir.

– Oh ! oui ! s'écria la poupée. Une porte ! Je veux voir une porte !

– C'est ce que nous allons faire, affirma Nalik.

– Mon fils, fit Tuzumab, il y a beaucoup moins de périls ici qu'à l'extérieur. Tu ne pourras pas survivre dans le Monde inférieur.

– Cabracàn n'est pas dans le Monde inférieur, répliqua le garçon. Il est probablement dans la Forêt rieuse, tout près de Palenque.

– C'est ce que nous verrons. Suivez-moi.

Tuzumab entraîna Nalik et la poupée vers le mur du fond.

– Je vois… je vois une fenêtre, dit l'homme. Une fenêtre qui nous montre l'extérieur.

Apparut soudainement un cadre rectangulaire dans lequel il y avait une image vivante. Ils avaient une vue en plongée. Ils étaient dans une forêt. Dans un campement improvisé. C'était le jour. Des chauveyas virevoltaient devant eux. Sur le sol, Nalik reconnut Buluc Chabtan qui semblait discuter avec Cama Zotz, le dieu Chauve-souris.

La poupée se précipita sur le cadre.

– Incroyable, souffla Nalik. Votre don est exceptionnel.

– Tu constates, mon fils, qu'on ne peut pas sortir d'ici. Si tu mets le pied à l'extérieur, ils te tueront sur-le-champ.

– Attendons la tombée de la nuit, suggéra le garçon. Là, il y aura beaucoup moins de risques d'être surpris.

– La nuit? demanda la poupée. Mais c'est trop long! Je veux sortir immédiatement!

Personne ne vit ni n'entendit Ta Nil s'approcher. Pas plus que les dizaines de Doigtés qui l'accompagnaient.

– Umab ne peut pas s'en aller, dit-il.

Nalik se retourna. Ils étaient encerclés.

La poupée s'avança vers Ta Nil, s'arrêta en face de lui et mit ses mains sur ses hanches.

– Umab en a assez de toutes ces sottises. Umab veut retourner auprès de Neliam. Vous vous trouverez quelqu'un d'autre à adorer.

Ta Nil poussa un cri aigu. Les bouches au bout de ses doigts se mirent à claquer des dents. Les autres Doigtés agirent de la même façon.

Tuzumab regarda la Fourmi rouge et hocha la tête de gauche à droite. Ce n'était pas bon signe.

– Umab ne peut pas partir, répéta Ta Nil.

– Ah oui? fit la poupée avec un air de défi. Qui va m'en empêcher?

Nalik se pencha et prit la poupée dans ses mains. Les Doigtés, avec leurs longs doigts, se mirent à gratter le sol et à bouger nerveusement la tête. Le garçon se dit que le geste qu'il venait de faire n'était pas la meilleure des idées.

– On ne peut pas toucher Umab, murmura Ta Nil en s'approchant de lui.

Le jeune Maya reposa la poupée.

– Mais je veux être touchée! s'écria-t-elle. Je ne demande que ça!

Les Doigtés étaient de plus en plus agités. Nalik voyait bien que la situation se corsait, mais il ne savait pas comment faire taire la poupée sans créer encore plus d'animosité. Et il y avait Tuzumab qui avait commencé à marmonner, ce qui n'annonçait rien de bon.

– Je ne peux pas laisser partir Umab, décréta Ta Nil.

Puis il leva la main, et les bouches crachèrent un liquide gluant.

Takel, Katan, Frutok, Laya et Pak'Zil s'enfonçaient inexorablement dans le sol. Pakkal devait les sauver.

– Laisse-les mourir, fit Troxik. Maintenant ou plus tard, quelle différence ?

– Pakkal ! cria Laya. Aide-moi, je ne… peux plus respirer. J'étouffe !

Le prince lui tendit la main une autre fois et tira de toutes ses forces. Il n'arrivait pas à la sortir de là.

On lui toucha l'épaule. Il se retourna et vit qu'il s'agissait de la grande main de Troxik. Il l'écarta violemment, puis appliqua ses deux mains sur la poitrine du seigneur de la Mort et tenta de le repousser. Le tatouage représentant un oiseau de proie sur son torse lui mordit une main. Il la retira aussitôt.

– Fâche-toi, lui ordonna Troxik. Je veux faire la connaissance de l'autre partie de ton Hunab Ku, celle qui te permettra de faire ton entrée à Xibalbà.

Pakkal sentait la colère monter en lui. Il ne devait pas laisser Chini'k Nabaaj prendre les commandes, car il craignait de ne plus jamais redevenir K'inich Janaab. Il recula de quelques pas et tenta de faire le vide dans son esprit, malgré les supplications des membres de l'Armée des dons.

Sous ses yeux, ses mains se noircirent. Il se laissa tomber sur les genoux et planta ses doigts dans le sol. Chini'k Nabaaj ne devait pas le contrôler. Il lui fallait renverser le processus.

Troxik s'avança vers lui. Il s'arrêta lorsqu'il fut au-dessus de lui.

– Oui... Très bien...

Pakkal sentait une incommensurable fureur s'infiltrer dans ses veines. Il en voulait à Troxik parce qu'il faisait souffrir ses amis. Il désirait faire du mal au seigneur de la Mort. La tentation de lâcher prise et de laisser toute la place à l'autre partie de son Hunab Ku était grande.

– Je pourrais t'éliminer sur-le-champ. Ce serait si facile, comme si je n'avais qu'à lever le pied pour écraser un insecte...

Le prince plaqua ses mains sur ses oreilles. Il avait besoin de silence. Il ne devait plus entendre les menaces de Troxik ni les plaintes des membres de l'Armée des dons. Il devait se retrouver seul avec lui-même.

Il s'efforça de penser aux souvenirs qu'il chérissait le plus. Des choses qui s'étaient passées avant l'attaque de Calakmul. Ces moments où il se chamaillait avec son père, pour le simple plaisir de jouer avec lui. Les câlins que sa mère lui faisait avant qu'il ne s'endormît, le soir. Les discussions qu'il avait avec son grand-père, Ohl Mat, qui détenait la réponse à chacune de ses questions.

Pakkal reposa ses mains sur le sol. Il constata alors que sa peau recouvrait son apparence normale. Cela l'encouragea. Il sentit qu'il avait repris les rênes de la situation. Il avait résisté et était parvenu à chasser Chini'k Nabaaj.

Il serra les poings et songea à des mille-pattes. Il leur demanda de s'infiltrer dans la terre et d'aider ses amis à ne plus s'enfoncer. Quelques instants plus tard, des centaines de mille-pattes venus de partout convergèrent vers les soldats de l'Armée des dons. Il y en avait tant que Pakkal n'osait pas faire un pas de peur d'en écraser un. Troxik fit quelques pas en arrière, les yeux grands ouverts, en chassant les quelques mille-pattes qui avaient grimpé sur ses pieds et ses jambes.

Le prince avait réussi à renverser la vapeur. Ses compagnons avaient cessé de s'enfoncer.

– Cela ne se passera pas comme ça, siffla Troxik.

Il se dirigea vers les membres de l'Armée des dons. Mû par une impulsion qu'il n'avait pas sentie venir, Pakkal s'interposa. Le quatrième seigneur de la Mort était grand, plus grand que le regretté Zenkà. Le garçon devait lever la tête pour le regarder. Le tatouage de Troxik fit claquer son bec.

– Tu ne leur feras pas de mal, dit le prince.

– C'est ce que tu crois ?

Le démon fit un pas vers la gauche pour passer à côté du jeune Maya, mais celui-ci en fit autant. Pakkal en était maintenant persuadé, Troxik ne lui ferait pas de mal. Son agressivité à son endroit n'était que de la frime. Serpent-Boucle avait raison : vu la position des astres, le prince de Palenque était intouchable, du moins jusqu'au lendemain matin.

Takel parvint, avec ses puissantes pattes avant pourvues de grosses griffes, à s'extraire du sol. Katan lui tendit son arme. Elle la prit dans sa gueule et tira. Frutok s'en sortit lui-même et offrit ses mains à Laya et à Pak'Zil en même temps.

Impuissant, Troxik regarda les membres de l'Armée des dons se placer derrière leur chef. Pakkal leva les poings et les pointa vers le seigneur de la Mort. Les mille-pattes s'extirpèrent de la terre et se dirigèrent vers Troxik. Ils grimpèrent sur lui et entreprirent de lui faire regretter sa présence. Le prince et ses amis en profitèrent pour déguerpir.

Dans sa fuite, Pakkal se retourna et vit que Troxik s'était transformé en hibou pour s'envoler dans la direction opposée à la leur. Pakkal dit aux mille-pattes qu'ils avaient accompli leur travail et qu'ils pouvaient repartir.

Pak'Zil fut le premier à arrêter de courir, trop essoufflé.

– Ça va, fit Pakkal, je crois que nous sommes hors de danger.

Le jeune scribe s'effondra sur le sol.

– Il… il était temps ! Je ne suis pas… fait pour courir, mais… pour lire !

À quelques mètres de là, Laya trouva un ruisseau. Chacun leur tour, les membres de l'Armée des dons se désaltérèrent. Après une course comme celle-là, l'eau était rafraîchissante. Lorsque vint son tour, Pak'Zil se roula dans le ruisseau.

– C'est dégueulasse ! s'écria Laya. Tu pues des pieds. Heureusement que j'avais déjà bu.

Pakkal grimpa à un arbre afin de voir à quel endroit de la Forêt rieuse ils se trouvaient et s'il y avait beaucoup de chauveyas qui volaient au-dessus de leurs têtes. Il fut surpris de constater que le ciel était exempt de soldats de l'armée de Xibalbà. Il fut pris de panique. Et si Serpent-Boucle s'était trompé? Et si Ah Puch n'avait pas attendu le lever de Hunahpù pour attaquer la cité?

Le prince fit part de ses appréhensions à ses compagnons.

– Je vais aller jeter un coup d'œil, dit Katan.

L'homme-chauveyas s'envola. L'attente fut angoissante pour Pakkal. Il s'assoyait, se relevait et se rasseyait, faisait les cent pas. Il craignait d'avoir commis une bévue. La plus grande de sa vie. La plus grande de l'histoire de Palenque. La plus grande de la Quatrième Création.

Enfin, Katan apparut entre les branches d'un arbre et atterrit. Pakkal et les autres membres de l'Armée des dons allèrent aux nouvelles.

– Il se passe quelque chose d'anormal, déclara le chef de l'armée de Calakmul.

Ta Nil n'était plus le seul à projeter sur Nalik et Tuzumab un liquide gluant. Tous les Doigtés sur la ligne de front faisaient de même. Les deux cibles tentaient, tant bien que mal, d'éviter les jets.

– Je vois… je vois un mur! cria Tuzumab.

Un large mur de stuc apparut. Ils étaient protégés. Pour le moment.

– Je croyais que cela ne fonctionnait pas avec les Doigtés parce qu'ils ne voient pas, dit Nalik.

– Cela nous protège parce que nous le voyons, mais s'ils avancent, ils passeront au travers du mur.

– On doit sortir d'ici.

– C'est impossible, mon fils. À l'extérieur, tu ne survivras pas longtemps.

Nalik accrocha sur le «tu».

– Vous ne viendrez pas avec moi?

L'homme hésita, puis fit non de la tête avec nonchalance.

– Je suis bien ici.

– Bien? demanda Nalik. Personne ne peut être bien dans un endroit pareil! Hunahpù ne vous manque-t-il pas, parfois? le ciel bleu? l'air pur?

– Ne te prends pas la tête avec lui, lança la poupée. Qu'il reste ici. Nous, nous partons.

– Je ne vous comprends pas, fit Nalik.

– Même si je t'expliquais, mon fils, tu ne pourrais pas comprendre.

– Venez avec moi. Je vous présenterai Pakkal et il vous intégrera dans l'Armée des dons. Votre pouvoir est exceptionnel.

– Quand bien même je serais ravi de rencontrer le prince de Palenque, je ne peux pas.

– Allez, laisse-le crever dans ce trou, continua la poupée. Taillons-nous !

Nalik décida de ne pas insister parce qu'il n'en avait pas le temps. L'homme avait ses raisons, qui étaient sûrement bonnes.

– Vous pouvez créer une porte ?

– Je ne peux pas te laisser sortir.

– Tuzumab, je suis une Fourmi rouge. Je pourrais arriver à tirer la queue d'un jaguar sans qu'il m'entende approcher. Ils ne me verront pas.

– Holà ! s'exclama la poupée. Tu n'es pas seul dans cette histoire.

– Créez une porte, je vous en prie. Je dois sortir. Pakkal m'attend peut-être dehors. Et venez avec moi. La situation ici est beaucoup plus dangereuse qu'à l'extérieur, j'en suis persuadé.

Tuzumab, à regret, s'approcha du mur.

– Je vois… je vois une porte, affirma-t-il.

Une ouverture se créa. Un courant d'air pur vint caresser le visage de Nalik qui s'avança vers le seuil. Il y avait partout des centaines de chauveyas. Mais ils ne bougeaient pas. Ils étaient à genoux, penchés vers l'avant, les mains appuyées sur la terre. C'était le silence total. Le jeune Maya avait pensé que sortir du ventre de Cabracàn serait périlleux, puisque lorsqu'il avait regardé par la fenêtre, ils étaient à plusieurs mètres du sol. Mais, finalement, ce serait plus aisé, le géant étant assis sur le sol, les jambes croisées.

Nalik observa Tuzumab et lui sourit.

– Merci, lui dit-il.

L'homme hocha la tête.

– Si, un jour, vous décidez de quitter cet endroit, venez à Palenque. Je serai toujours reconnaissant de ce que vous avez fait. Et je ne manquerai pas d'en parler à K'inich Janaab Pakkal.

– Allez, finis les adieux, s'impatienta la poupée. On déguerpit !

Nalik serra la poupée.

– Pas trop fort ! grogna-t-elle.

La Fourmi rouge se retourna, plaça ses pieds sur le bord de l'ouverture, prit une profonde inspiration et sauta. La chute fut plus brutale que prévue. Nalik atterrit sur les genoux de Cabracàn et laissa échapper la poupée. Puis il roula et termina sa dégringolade sur le sol. Il se releva rapidement. Il était entouré de chauveyas, mais aucun d'eux n'avait réagi lorsqu'il avait fait son apparition. Il y en avait à perte de vue.

Cabracàn avait les yeux fermés et semblait en profonde méditation.

Le garçon devait récupérer la poupée. Il la chercha autour de lui, sans la trouver. Alors qu'il commençait à paniquer, il la vit sur l'un des genoux du géant.

– Hé! poupée! fit-il en essayant de murmurer et de crier en même temps. Poupée!

Mais elle ne répondit pas. Il allait devoir grimper.

Il s'accrocha à la jambe de Cabracàn et entreprit de l'escalader. Cela se déroulait bien, trop bien, se dit-il. Il avait raison: quelques secondes plus tard, il vit la grosse main du géant s'abattre sur lui. Au dernier instant, il se laissa tomber. La main gratta l'endroit où il se trouvait, comme on le fait lorsqu'on vient de se faire piquer par un moustique. La Fourmi rouge observa Cabracàn: il avait toujours les yeux fermés.

Nalik devait recommencer. Il décida, cette fois, de prendre un chemin plus long, mais où le contact direct avec la peau du géant serait limité au minimum. Enfin, il arriva à la poupée. Elle était inerte. Il la prit dans ses mains. Elle était molle et sans vie.

– Poupée?

Elle n'eut aucune réaction. Nalik la secoua un peu puis, voyant que cela ne donnait rien, y alla plus vigoureusement. Rien. Il pensa que la chute avait eu raison d'elle.

Cabracàn bougea et le garçon eut du mal à garder son équilibre. Il leva la tête pour regarder son visage. Ses yeux étaient ouverts!

Le géant ouvrit très grande sa gueule et fit tomber sa main sur Nalik. Celui-ci se jeta dans le vide pour l'éviter et atterrit sur le pied du géant. Un autre saut et il se trouverait sur le sol. Mais Cabracàn fut plus rapide. Il parvint à l'attraper et referma sa poigne sur lui. Le jeune Maya étouffait. Désespéré, il mordit le petit doigt du géant qui poussa un cri et ouvrit la main. Nalik estima qu'il était trop haut: il ne pouvait pas sauter sans se blesser.

Ce fut alors que Cabracàn leva sa main libre et l'abattit sur l'autre pour écraser la Fourmi rouge.

La nouvelle transmise par Katan avait soulagé Pakkal. Du moins temporairement. Palenque était, pour l'instant, hors de danger. Le chef de l'armée de Calakmul avait vu que tous les chauveyas étaient réunis dans la Forêt rieuse et qu'ils semblaient être en prière.

– Pourquoi donc? demanda Pak'Zil.

– C'est bien ça qui m'inquiète, répondit Katan.

Laya se tourna vers le Maya-chauveyas.

– Avez-vous vu Selekzin? l'interrogea-t-elle.

– Qui?

– Selekzin. Vous savez, le beau garçon…

Pakkal la coupa, irrité.

– Ce n'est pas le moment, Laya. On se fout de Selekzin.

– Toi peut-être, mais pas moi.

Le prince changea de sujet avant que cela ne dégénérât.

– Allons jeter un coup d'œil pour en avoir le cœur net.

– Moi, je reste ici, décréta Laya en s'asseyant par terre et en faisant dos aux autres membres de l'Armée des dons.

Elle croisa ses bras sur sa poitrine.

– Très bien, approuva Pakkal.

– Moi aussi, je vais rester ici, lança Pak'Zil. Je vais… euh… m'assurer qu'il n'arrive rien de fâcheux à Laya.

Comme chaque fois qu'il prévoyait de l'action, Frutok se fit craquer les jointures.

– Moi, je vous accompagne, dit-il au prince.

– Moi aussi, ajoutèrent en chœur Takel et Katan.

– Vous restez ici, déclara Pakkal à Pak'Zil et à la princesse.

– Je vais faire ce que je veux, répliqua Laya. Je suis libre.

– Ne vous inquiétez pas, poursuivit Pak'Zil. Nous allons rester ici.

Pakkal pointa discrètement la princesse du doigt afin de signifier au jeune scribe qu'il fallait l'empêcher de commettre une bêtise. Pak'Zil comprit le geste et fit oui de la tête.

Le prince, Katan, Takel et Frutok se dirigèrent vers le lieu où se trouvaient les chauveyas. Pakkal n'était pas dupe ; il y avait une raison pour laquelle ils étaient tous réunis. Cela n'augurait sûrement rien de bon.

– Qu'arrive-t-il à Laya ? se demanda-t-il à voix haute, sans attendre nécessairement une réponse.

– Elle est amoureuse, dit Katan.

– Quoi ? s'exclama Pakkal.

– Amoureuse, répéta Takel. Nous, les jaguars, on ne connaît pas ça. Mais vous, les Mayas, cela vous rend fous. Bien heureuse de ne pas faire partie de votre espèce ! L'amour complique toujours tout. Ça vous fait perdre la tête.

– Elle n'est pas amoureuse, ronchonna le prince.

Katan laissa échapper un sifflement.

– Quoi? fit le prince. Elle ne peut pas être amoureuse de ce barbare. C'est impossible.

– Tout est possible avec l'amour, chez les Mayas, répliqua Takel. Même l'impossible.

– On change de sujet, d'accord?

Même si Pakkal avait formulé une demande, c'était plutôt un ordre. Cette histoire le mettait tout à l'envers.

– Peut-être êtes-vous amoureux? lança Takel.

– Moi? De qui?

– De Pak'Zil, voyons, dit Frutok.

L'un de ses seize yeux lui fit un clin d'œil.

– Moi, amoureux? C'est ridicule!

Enfin, ils arrivèrent au campement de Xibalbà. Katan avait dit vrai: les chauveyas étaient à genoux, penchés vers l'avant, les mains collées au sol, comme s'ils priaient.

– Ils ne font pas cela pour rien, déclara Pakkal. On doit trouver les seigneurs de la Mort, ils sont forcément tout près.

Le chef de l'armée de Calakmul pointa le doigt vers l'avant.

– Je crois que c'est par là, fit-il.

En prenant soin de faire le moins de bruit possible, ils contournèrent les chauveyas. Katan les mena à une petite clairière où se trouvaient, entre autres, Troxik, Cama Zotz, Vucub-Caquiz, le père de Zipacnà et de Cabracàn, et Buluc Chabtan. Ils avaient adopté la même position que les chauveyas. Juché sur un rocher en face d'eux, Ah Puch tenait devant lui son bâton surmonté d'un anneau d'où émanait une lumière orangée. Ce qui intéressa le prince, cependant, ce fut la lance de Buluc Chabtan. Il l'avait déposée à ses côtés.

– Je dois récupérer l'arme de Buluc Chabtan, murmura-t-il.

– Pas maintenant, lui dit Katan. C'est trop dangereux.

Oui, c'était risqué, très risqué. Mais une pareille occasion allait-elle un jour se représenter ?

– De toute façon, comment comptes-tu t'y rendre ? demanda Katan. Il y a des chauveyas partout. Tu vas marcher sur leurs têtes ?

– Non. On va y aller par les airs.

– « On » ?

Pakkal expliqua son plan : en volant, Katan le déposerait à côté du dieu de la Mort soudaine et du Sacrifice ; il s'emparerait de la lance, regrimperait sur Katan et se sauverait.

– Simple, non? fit-il.

– Regardez! s'écria Frutok.

Le bâton d'Ah Puch s'était mis à tournoyer sur lui-même entre ses doigts. Lentement, il retira ses mains. Le bâton restait debout et continuait à tourner.

– L'illusion est parfaite, ajouta le hak. Mais il y a sûrement une corde quelque part.

Le dieu suprême du Monde inférieur leva les bras vers le ciel et ouvrit ses mains, ce qui mit bien en évidence les os de ses doigts d'où pendait de la peau nécrosée. Subitement, tous les chauveyas se redressèrent et poussèrent un petit cri pour ensuite reprendre leur position initiale.

– Belle chorégraphie, glissa Frutok. J'ai hâte qu'ils se mettent à danser.

– Tu ne pourrais pas te la fermer un peu? demanda Katan.

Le bâton d'Ah Puch tournoyait de plus en plus vite. Il s'éleva de quelques centimètres au-dessus du sol et l'anneau émit un rayon noir qui se dirigea vers le ciel, directement sur Hunahpù.

Ah Puch reprit possession de son bâton qui, aussitôt, cessa de tourner, puis, lentement, changea d'angle.

– C'est impossible, dit Katan.

– Si, c'est possible, répliqua Pakkal.

Avec son bâton, comme si le rayon noir était son extension, Ah Puch faisait bouger Hunahpù. Il le forçait à se coucher plus rapidement.

Quelques instants après que Pakkal et le reste de l'Armée des dons furent partis, Laya se leva d'un bond et se mit à marcher.

– Que fais-tu? lui demanda Pak'Zil.

– Est-ce que ça te regarde?

Le garçon se sentit obligé de la suivre.

– On doit rester ici, dit-il. Sinon, ils ne nous retrouveront pas.

– Toi, reste ici. Moi, j'ai des choses à vérifier.

– Des choses à vérifier? répéta Pak'Zil. Il n'y a rien à vérifier!

Laya ne l'écouta pas et poursuivit sa marche. Le jeune scribe lui emboîta le pas. Ils se dirigeaient vers le campement de Xibalbà.

– C'est dangereux, par là, lança-t-il.

La princesse fit comme si elle n'avait rien entendu. Elle marchait à un rythme que son compagnon avait du mal à soutenir. Comme si elle savait exactement où elle devait aller.

– Où vas-tu ?

– Je vais voir quelqu'un.

Pak'Zil s'arrêta quelques secondes pour réfléchir. Puis il courut vers la princesse.

– Quelqu'un ?

– Oui, Selekzin, si cela t'intéresse.

– Selekzin ?!

– Tu as bien entendu.

– Je te rappelle qu'il est maintenant du côté de Xibalbà.

– Eh bien, je l'aime !

– Tu ne peux pas l'aimer ! s'exclama Pak'Zil.

Laya se mit à courir. Le jeune scribe la suivit jusqu'à ce qu'elle s'arrêtât brusquement. Il fit de même et s'approcha lentement d'elle.

– Nous devons retourner là-bas. Pakkal viendra nous y…

Pak'Zil cessa net de parler. Il vit ce qui avait interrompu Laya dans sa course. Selekzin se tenait là, à quelques mètres d'elle. Il avait les bras croisés sur la poitrine et un sourire satisfait sur les lèvres.

– Je t'ai manquée ? demanda-t-il.

– Oui, répondit Laya en s'avançant vers lui.

– Non ! cria Pak'Zil.

Selekzin leva la tête. Entre les arbres, il aperçut le scribe.

– L'esclave t'a suivie, dit-il.

Laya se retourna vers Pak'Zil. Son visage avait changé : il était devenu blême et ses yeux étaient tristes.

– Laisse-moi nous débarrasser de ce chaperon. Après, je pourrai me consacrer complètement à toi.

Selekzin fit un geste de la main. Pak'Zil entendit un craquement derrière lui. Un arbre tombait vers lui. Il se jeta sur le sol. Des craquements, il y en eut beaucoup, les uns à la suite des autres. Le garçon parvint à éviter de justesse tous les obstacles en s'enfonçant profondément dans la forêt. Lorsqu'il fut certain d'être en sécurité, il s'arrêta. Que devait-il faire ? Prévenir Pakkal ? Certes, c'était la chose la plus logique à faire, mais il ne savait pas où le trouver. Rester sur place et attendre ? Même s'il n'était pas friand d'action, c'était, à son sens, le plus mauvais des choix. Il décida de retourner à l'endroit où se trouvaient Laya et Selekzin.

En prenant soin de se faire le plus discret possible, il s'en approcha lentement. Le fils de Zine'Kwan avait fait tomber des dizaines d'arbres. Pour avancer, Pak'Zil devait grimper sur leurs troncs. Enfin, il les vit. Selekzin caressait les cheveux de Laya qui paraissait y prendre plaisir. Il lui chuchotait des mots à l'oreille. La jeune fille parlait tout bas, comme si elle répondait à des questions qu'il lui posait. Elle semblait ensorcelée par lui.

La discussion cessa. Selekzin retira ses mains des cheveux de Laya qui garda les yeux fermés. Soudainement, il empoigna sa gorge et la serra. La princesse posa ses mains sur les siennes pour essayer de lui faire lâcher prise. Le démon la souleva et se mit à pouffer de rire. Des bruits inquiétants sortaient de la gorge de Laya.

Pak'Zil devait agir, et vite. Il sauta par-dessus le tronc qui lui servait d'abri. De toutes ses forces, il fonça dans Selekzin. Celui-ci laissa tomber sa proie et chuta. Sa tête heurta un tronc d'arbre. Le choc lui fit perdre conscience.

L'apprenti scribe se redressa et se précipita vers Laya. Elle était sur le sol, les mains autour du cou. Elle sanglotait. Elle leva des yeux noyés de larmes vers son ami.

– Pourquoi ? demanda-t-elle.

Pak'Zil lui tendit la main.

– Viens avec moi. Nous devons nous en aller.

La jeune fille se redressa. Pak'Zil tourna la tête pour s'assurer que Selekzin gisait toujours au même endroit.

– Oh ! oh ! fit-il en constatant qu'il n'y était plus.

Il tira le bras de Laya et l'entraîna plus loin. Il ne savait pas où aller, craignant de tomber sur Selekzin d'un instant à l'autre. Dès qu'il se crut hors de danger, il arrêta de courir.

La princesse pleurait toujours.

– Je l'aime, fit-elle en regardant Pak'Zil avant d'être secouée par un autre sanglot, encore plus violent que le précédent.

Le garçon n'en revenait pas. Comment une fille pouvait-elle continuer à chérir un homme – provenant du Monde inférieur, en plus ! –, alors qu'il avait tenté de la tuer quelques instants auparavant ? C'était inexplicable, même pour lui qui était réputé pour son sens aigu de l'analyse.

– Ça va aller, la rassura-t-il, ne trouvant rien d'autre à dire.

Laya colla sa tête contre sa poitrine. Pak'Zil ne savait que faire. Voyant qu'il ne réagissait pas, elle prit ses bras et les mit autour d'elle. Quelques instants plus tard, le scribe, mal à l'aise, marmonna :

– Nous ne devons pas rester ici.

Une voix forte le fit tressauter.

– Quel beau couple vous faites ! C'est touchant.

Selekzin était à leur gauche. Un liquide noirâtre coulait d'une plaie qu'il arborait sur le front. Il l'essuya avec ses doigts et regarda ses mains.

– Beau travail, lança-t-il. C'est maintenant à moi de te montrer à quel point je peux frapper fort.

Il fonça en direction de Laya et de Pak'Zil. Ce dernier eut tout juste le temps de repousser la princesse avant de se faire happer durement par le fils de l'ancien grand prêtre de Palenque.

En décollant ses mains l'une de l'autre, Cabracàn s'attendait à retrouver Nalik, mais il n'y était pas. Il était parvenu à sauter au dernier moment, évitant ainsi d'être écrabouillé.

Le géant tourna la tête, à la recherche du garçon. Il le vit juste avant qu'il ne prît la fuite dans la forêt. Il se releva et le poursuivit. Avec son pied, il tenta de l'écraser, mais il n'y arriva pas. Le feuillage des arbres lui cachait la vue.

Nalik savait qu'en courant en ligne droite, il n'avait aucune chance de s'en sortir, d'autant plus que le géant semblait prêt à l'écrabouiller comme un vulgaire insecte. Il se mit à zigzaguer entre les arbres, jusqu'à ce qu'il ne sentît plus le sol trembler sous ses pieds. Il avait réussi à semer Cabracàn !

Il tenait la poupée dans ses mains et se demandait maintenant comment trouver Pakkal. Il n'avait pas d'autre choix que de rester dans les alentours du campement du Monde inférieur, puisque c'était à cet endroit que le prince de Palenque lui avait donné rendez-vous.

Le garçon marcha jusqu'à ce qu'il rencontrât un cours d'eau où il s'arrêta afin de boire. Ce fut alors qu'il entendit des pleurs. Pas ceux d'un enfant. C'était une fille. Il glissa la poupée dans sa ceinture et décida d'aller voir ce qui se passait. Il aperçut alors Laya qui avait posé sa tête sur le torse de Pak'Zil. Celui-ci lui entourait le corps de ses bras maladroits. Elle semblait inconsolable. Nalik pensa que Pakkal était mort.

Alors qu'il allait les rejoindre, il entendit une voix, mais n'arriva pas à distinguer qui venait de parler. Il vit Pak'Zil repousser violemment Laya avant d'être brutalement plaqué, quelques secondes plus tard, par un homme. Le jeune scribe resta sur le sol, inerte. Lorsque l'homme se redressa, Nalik le reconnut : c'était l'ancien chef des Fourmis rouges. Son chef. Son ami. Avec lui, il avait fait les quatre cents coups. Pour le meilleur, mais surtout pour le pire.

C'était Selekzin lui-même qui l'avait entraîné dans les Fourmis rouges. Il avait su comment s'y prendre. Nalik n'en avait aucunement envie, préférant vivre dans la solitude que faire partie d'une bande. Mais Selekzin lui avait dit que s'il avait perdu des êtres qui lui étaient chers, c'était non pas la faute de Calakmul, mais bien celle d'Ohl Mat et de son héritière, dame Zac-Kuk, qui attirait le malheur parce que les dieux n'appréciaient pas qu'une femme fût à la tête de la cité. Il fallait s'en débarrasser avant une autre hécatombe.

Le fils du grand prêtre de la cité tenait sans cesse des propos remplis de haine à l'endroit de la famille royale, mais plus particulièrement contre Pakkal. Nalik était impressionné par la vigueur avec laquelle Selekzin entretenait sa rancœur. «Voilà un garçon qui ne craint pas d'avoir des opinions et de les exprimer», s'était-il dit. Une amitié s'était tissée entre eux. Nalik, de nature discrète et renfermée, se confiait à Selekzin. Il ne respectait que les ordres qui venaient de lui. Lorsque Selekzin avait disparu, il avait perdu bien plus qu'un chef; c'était comme si un membre de sa famille – un autre! – était mort.

Selekzin se dirigea vers Laya, lui empoigna les cheveux et la releva. La princesse poussa un cri de douleur. Nalik décida d'intervenir.

– Non! cria-t-il.

Le démon relâcha la princesse et tourna lentement la tête. Lorsqu'il vit qu'il s'agissait de Nalik, avec la main, il lui fit signe d'avancer. Mais la Fourmi rouge n'obéit pas.

– Approche, dit Selekzin. Je comprends ton hésitation : tu as toujours eu peur de moi.

– Je n'ai pas peur de toi. Plus maintenant. Tu n'es plus le même. Avant, je t'aurais suivi partout. Mais aujourd'hui… tes yeux, ton visage…

Selekzin se fâcha.

– Je suis le même. C'est toi qui as changé.

Son regard s'abaissa jusqu'à la ceinture de la Fourmi rouge.

– Cette poupée, donne-la-moi.

Nalik mit ses deux mains dessus, comme s'il désirait la protéger.

– Jamais, répondit-il.

– Fais-moi confiance, lança Selekzin, je vais la remettre à cette petite fille…

Comment pouvait-il être au courant pour Neliam, sa poupée et les guerriers célestes ?

– Je ne comprends pas ce que tu veux dire, mentit la Fourmi rouge.

Selekzin pointa le doigt vers la princesse qui pleurait toujours.

– Pakkal veut libérer les guerriers célestes afin qu'ils protègent la cité. Elle vient de me le dire. Elle n'a pas pu résister à mon charme.

Nalik songea que Selekzin ne devait pas ébruiter cette information, sinon les chances de réussite de l'Armée des dons seraient nulles. Il fallait mettre l'ancien chef des Fourmis rouges hors d'état de nuire.

Selekzin ferma son poing et raidit sa mâchoire.

– Donne-moi cette poupée.

– Non.

Le suppôt de Xibalbà poussa un cri et vola, tête première, en direction de Nalik qui ne put l'éviter. Son estomac encaissa le coup. Il en eut le souffle coupé. Il se foula la cheville en tombant. Il avait trop mal pour se relever. Selekzin lui arracha la poupée.

– Elle est à moi, dit-il. Ah Puch sera content des informations que je vais lui rapporter. Jamais ces guerriers célestes ne pourront se rendre à Palenque. Ils seront éliminés bien avant.

Nalik se tordait de douleur sur le sol. Il savait qu'il ne devait pas laisser Selekzin partir avec la poupée, mais il avait trop mal pour faire un geste. Le coup qu'il avait reçu avait été d'une violence inouïe. Il était sonné.

Il y eut un sifflement. La Fourmi rouge releva la tête et vit que Pak'Zil était debout. Il avait un sifflet dans la bouche. Selekzin le regarda avec un air de mépris.

– Tu crois que c'est le moment de jouer de la musique, gros lourdaud?

– Non. Mais c'est le moment pour toi de faire la connaissance de mes amis.

De toutes les directions, des singes hurleurs affluaient. Bientôt, il n'y eut plus de place sur les branches des arbres qui entouraient Selekzin. Les singes poussaient des cris et étaient surexcités.

– Tu es sur leur territoire et ils vont te le faire savoir.

Pak'Zil fit une pause, puis souffla dans son sifflet.

Pakkal et les autres membres de l'Armée des dons assistèrent à un coucher précipité de Hunahpù. Ah Puch, avec son bâton, le contrôlait.

– Pourquoi fait-il cela? demanda Katan.

– Je crois qu'il est impatient d'attaquer Palenque, fit Pakkal. Plus Hunahpù se couchera vite, plus il se lèvera vite. Nous devons trouver Nalik le plus rapidement possible.

En accéléré, la nuit prenait possession de la Forêt rieuse. Les ombres donnaient l'impression de danser et, promptement, elles prirent toute la place et plongèrent les lieux dans l'obscurité.

Pakkal bâilla. Il fut suivi par Takel et, enfin, Frutok. Le garçon sentit une profonde fatigue, partant de ses orteils, l'envahir. Frutok frotta quelques-uns de ses yeux.

– Je suis…

Il ouvrit toute grande sa gueule et bâilla une autre fois.

– …si fatigué, termina-t-il.

Le prince ne pouvait plus tenir sur ses jambes. Il devait s'asseoir. Une fois assis, il ne put résister à la tentation de s'allonger sur le sol. Takel l'imita, Frutok aussi.

– Qu'est-ce qu'il se passe? lança Katan, qui se sentait également fatigué, mais pas trop.

Tous les chauveyas qui les entouraient se couchèrent par terre. Pakkal réunit toutes les forces qui lui restaient et se souleva.

– Nous… nous devons fuir.

– Bonne idée, dit Katan. Allez, debout! Ce n'est pas le moment de dormir!

Pakkal sombra dans le sommeil. L'homme-chauveyas comprit qu'en accélérant le processus du coucher de Hunahpù, Ah Puch avait aussi provoqué une accélération du processus de fatigue. Lui-même n'était sûrement pas affecté parce qu'il n'avait pas besoin de beaucoup d'heures de sommeil et parce qu'il avait dormi beaucoup afin de récupérer de son périple à Calakmul.

Katan se pencha et tenta de réveiller le prince en le secouant.

– Pakkal…

Rien à faire, il dormait profondément. Le chef de l'armée de Calakmul fut moins délicat avec Frutok : il lui asséna un coup de pied.

– Allez, réveille-toi, paresseux.

Le hak ouvrit un œil.

– Hum…, marmonna-t-il.

– Debout, il faut déguerpir d'ici.

Katan le tira par un bras. Frutok se releva, mais retomba immédiatement.

Le Maya-chauveyas ne pouvait pas rester là à attendre que Hunahpù se levât. À chaque geste qu'il faisait, à chaque mot qu'il prononçait, il craignait d'être repéré. Il posa son arme sur le sol, souleva le prince et le mit sur son épaule. Puis il s'envola, en prenant soin de ne pas survoler le camp que Xibalbà avait établi dans la Forêt rieuse.

Plus loin, il vit, sur le sommet d'une montagne, une lueur. Il s'en approcha et constata que des gens y dormaient. En regardant de plus près, il se rendit compte qu'il s'agissait de Pak'Zil, de Laya et de Nalik. Ils étaient couchés autour d'un feu de camp qui, lentement, mourait.

Katan s'assura qu'il n'y avait aucun danger aux alentours et retourna chercher Frutok. Ce fut une autre histoire, car le hak était beaucoup plus lourd et encombrant que Pakkal. Il ne put le mettre sur son épaule, comme il l'avait fait avec ce dernier. Il le tint dans ses bras et s'envola. Il fut bien heureux d'arriver à destination. Sans le vouloir, il lâcha Frutok qui se cogna durement la tête sur un gros rocher.

– Désolé, vieux, fit-il.

Katan sentait ses forces s'amenuiser. Comment allait-il faire pour amener la maîtresse des jaguars jusqu'ici? Elle était sûrement encore plus pesante que Frutok. Comme chaque fois qu'il avait une mission qui, rationnellement, semblait impossible, il évita d'y penser. C'était son père, chef de l'armée de Calakmul avant lui, qui lui avait suggéré d'adopter cette attitude. «La victoire se joue souvent avant que la bataille ne commence, lui répétait-il sans cesse, parce qu'on est souvent porté à s'effondrer devant les obstacles avant de les affronter véritablement. » Depuis, lorsque Serpent-Boucle lui donnait une mission, Katan ne réfléchissait pas et la remplissait.

Aussi, il se releva et partit chercher le jaguar. En se posant sur le sol, il jeta un œil autour de lui. Les chauveyas dormaient encore. Il prit une profonde inspiration et tenta de soulever Takel. La tâche allait être plus ardue qu'il ne l'avait cru : elle était si lourde qu'il n'était parvenu qu'à la soulever de quelques centimètres du sol.

Katan la reposa, puis il se mit à genoux et pencha la tête. Il prit ses pattes avant d'une main, puis ses pattes arrière de l'autre. Il glissa sa tête sous son corps de sorte que le poids de la bête fût équitablement réparti sur ses épaules. Il bloqua sa respiration et se releva d'un coup. Il faillit perdre l'équilibre, mais parvint à le retrouver. Il se mit à battre des ailes de toutes ses forces.

Le chemin qui le mena en haut de la montagne fut le plus dur, physiquement, qu'il eût jamais connu. Il avait déjà transporté deux de ses soldats blessés sur des kilomètres, mais cette épreuve n'était rien en comparaison avec ce qu'il vivait actuellement. Il savait que, s'il se posait, il ne pourrait plus décoller de nouveau. Il ne devait pas penser qu'il pouvait échouer. Il devait se dire qu'il allait y arriver.

Ce fut exténué et hors d'haleine que Katan parvint au sommet de la montagne. En posant Takel sur le sol, il resta quelques instants en position agenouillée, pantelant. Il devait retourner une dernière fois dans le camp de Xibalbà afin de récupérer son arme.

Il s'accorda un long moment de repos. La fatigue le gagnait, lui aussi. Il ne devait pas céder au sommeil. Pas maintenant. Il était le seul encore éveillé qui pouvait agir. S'il s'assoupissait, il allait se réveiller le lendemain matin et il serait trop tard.

L'homme-chauveyas se redressa et prit une profonde inspiration en regardant le ciel. Il déploya ses ailes et s'envola. Voler le galvanisa. Il sentit une énergie nouvelle en lui. Il retrouva son arme sans problème. Au moment de repartir, il constata qu'Ah Puch tenait un conciliabule avec Buluc Chabtan et un jeune homme. Il reconnut Selekzin. Katan s'approcha discrètement. Il vit que le dieu de la Mort soudaine avait dans les mains une poupée et qu'il la montrait à Ah Puch.

Subitement, le roi de Mitnal se retourna et fit cogner son bâton sur le sol. Aussitôt, toutes les chauves-souris géantes se réveillèrent. Une boule lumineuse se forma dans l'anneau du bâton et projeta des centaines de rayons qui frappèrent la tête des soldats de Xibalbà. Le Maya-chauveyas fut aussi heurté par un jet de lumière en plein milieu du front. Il sentit que le vide se faisait dans son esprit. Puis il eut l'impression qu'on lui donnait un ordre : retrouver Neliam, la petite fille qui savait comment accéder aux guerriers célestes.

Katan assista à l'envolée des chauveyas qui prirent tous des directions différentes.

C'était par dizaines, à la suite de l'ordre donné par Pak'Zil, que les singes hurleurs avaient attaqué Selekzin. Celui-ci était parvenu à se défaire des premiers, mais, quelques instants plus tard, ils étaient si nombreux qu'il avait dû se résoudre à battre en retraite. Les animaux étaient furieux et ne ménageaient pas les coups de poing et les morsures. Ils avaient tenté de lui arracher la poupée, mais Selekzin avait tenu bon. Il s'était enfui avec elle. Pak'Zil avait décidé de le poursuivre, mais il avait perdu sa trace.

Il revint sur ses pas. Selekzin avait tué quelques singes et en avait blessé plusieurs. Le jeune scribe ramassa les dépouilles et les aligna respectueusement sur le sol.

– Je suis désolé, dit-il.

Il souffla dans son sifflet. Des ratons laveurs s'approchèrent. Il leur enjoignit de creuser un trou. Il mit les corps dedans, puis les ratons replacèrent la terre par-dessus. Pak'Zil s'en voulait d'avoir demandé à des singes de les protéger, mais le Monde intermédiaire était en péril et tous ses habitants devaient faire des sacrifices.

Laya pleurait toujours, cette fois en silence. Le garçon se pencha et lui caressa le dos.

– Je suis idiote, affirma-t-elle. Pourquoi lui ai-je dit ça? Je n'ai pas pu m'en empêcher. Il m'a regardée droit dans les yeux et il m'a demandé si je savais quelque chose. Je lui ai tout révélé! Tout!

– Ce n'est pas grave, répondit Pak'Zil.

– Si, c'est grave.

Nalik était assis. Il frottait sa cheville.

– Si nous ne donnons pas la poupée à Neliam, nous ne pourrons pas accéder aux guerriers célestes. C'est la fin.

Laya éclata en sanglots.

– Ce n'est pas la fin, répliqua le scribe. Nous pouvons encore y parvenir.

– Vraiment? Explique-moi comment? Une fois que Xibalbà aura trouvé les guerriers célestes, qu'arrivera-t-il, tu crois ? Ils vont faire la fête ? Non : ils les massacreront et Palenque ne sera plus qu'une proie facile.

Pak'Zil devait reconnaître que Nalik disait vrai. Lorsqu'on l'analysait froidement, la situation était désespérée. Mais il refusait de se laisser abattre.

– Si on met la main sur Pakkal, il trouvera une solution.

Nalik regarda autour de lui.

– Tu le vois, Pakkal ?

L'apprenti scribe fit non de la tête.

– Je ne sais pas ce qui t'a pris, lança Nalik à Laya. C'est la chose la plus stupide que j'aie jamais vue.

– Je sais ! cria la princesse avant de verser d'autres larmes. Je n'ai pas pu m'en empêcher. C'était plus fort que moi.

Pak'Zil essaya de calmer le jeu.

– Ce n'est pas le moment de faire des reproches, dit-il. Nous ne pouvons pas rester ici, c'est trop dangereux.

La Fourmi rouge tenta de se relever, mais sa cheville lui faisait trop mal.

– Laisse-moi t'aider, fit Pak'Zil.

– Je peux le faire tout seul.

Nalik essaya une autre fois de se tenir debout, mais c'était impossible. Pak'Zil s'approcha de lui et passa un bras sous son aisselle.

Même s'ils marchaient lentement, Laya était à la traîne. Elle cessa de pleurer, puisqu'il lui semblait qu'elle n'avait plus de larmes à verser. Elle était triste. Et elle se sentait affreusement coupable. Que s'était-il donc passé? Pourquoi, subitement, avait-elle éprouvé un besoin viscéral de voir Selekzin? Pourquoi l'idée qu'il était loin d'elle la faisait-elle tant souffrir? C'était ridicule. Selekzin ne faisait plus partie du Monde intermédiaire. Il dégageait une odeur de pourriture; il avait un comportement odieux et le teint d'un cadavre. Pourtant, dans son for intérieur, la princesse l'aimait. Il ne lui servait à rien de se mentir: elle était amoureuse de lui.

Laya vit, entre les branches, ce qui lui sembla être de la fumée. Elle la pointa du doigt.

– Il y a quelque chose là-bas, s'écria-t-elle.

Sur le sommet plat d'une colline, il y avait un feu de camp.

– Regardez la fumée, dit Nalik.

En s'élevant dans le ciel, elle avait pris la forme d'un serpent à plumes.

– C'est intéressant, fit Pak'Zil.

– C'est un piège, affirma la Fourmi rouge en s'appuyant sur un tronc d'arbre.

– Je vais aller voir, déclara le jeune scribe.

– J'y vais avec toi, lança la princesse qui ne voulait pas rester seule avec Nalik et devoir essuyer une salve de reproches.

En prenant soin de chercher tous les indices pouvant leur indiquer s'il s'agissait d'un traquenard, Pak'Zil et Laya se dirigèrent lentement vers le feu. Rien ne laissait présager qu'ils seraient victimes d'un quelconque guet-apens. Arrivés au sommet de la colline, sur un plateau de roche, ils constatèrent que le feu était nourri, comme s'il venait d'être alimenté. Mais il n'y avait trace de personne.

Laya s'approcha des flammes, avança les mains et les frotta l'une contre l'autre.

– Ce n'est pas normal qu'il y ait un feu comme celui-là, au milieu de nulle part, affirma Pak'Zil.

– Peut-être que les gens qui l'ont allumé ont été obligés de partir rapidement…

– Ce n'est pas rassurant.

L'adolescente s'assit sur le sol et fixa le feu.

– Moi, je reste ici.

Pak'Zil regarda tout autour. Il n'y avait personne.

– Je vais chercher Nalik.

Constatant alors que la fumée du feu ne formait plus un serpent à plumes mais une masse grise difforme, il songea que c'était sûrement un hasard, comme les nuages qui, parfois, ressemblent à des animaux.

Nalik fit comme Laya et s'assit devant le feu. Pak'Zil alla ramasser des branches d'arbres pour alimenter les flammes. Alors qu'il les jetait dans le feu, un gargouillis se fit entendre.

– Quelqu'un a faim, ici?

Laya répondit par la négative. Nalik fit non de la tête, se releva et, en boitant, alla s'asseoir plus loin, à un endroit d'où il avait une vue imprenable sur la Forêt rieuse.

Il vit alors un rayon émerger de la cime des arbres et atteindre Hunahpù.

– Regardez, cria-t-il.

Laya et Pak'Zil vinrent le rejoindre. Ils assistèrent à un coucher de Hunahpù en accéléré, contrôlé par le rayon. Graduellement, une grande fatigue s'empara d'eux. Le sommeil les gagna.

Profondément endormi, Pakkal faisait un rêve. Il était sur le terrain de *Pok-a-tok*, à Palenque. Il s'amusait à faire rebondir la balle de caoutchouc, puis il tenta de la faire passer dans l'anneau fixé au mur. Mais il n'y arriva pas. Pourtant, le lancer était parfait, la balle aurait dû y pénétrer. Mais elle se heurta à un obstacle invisible et retomba aux pieds du prince.

Le garçon entendit un bruissement derrière lui. Il se retourna et aperçut un serpent à plumes d'une très haute taille qui volait. Il reconnut Itzamnà. Le serpent à plumes tourna autour de lui, puis se laissa glisser sur le sol. Il ouvrit toute grande sa gueule et lui mordit une jambe. Pakkal se réveilla en sursaut.

– Je suis désolé, dit une voix, c'était le seul moyen de te redonner de la force et de t'extirper du sommeil.

Le prince était couché sur le sol. Il faisait nuit. Il vit, autour de lui, Takel et Frutok, mais également Pak'Zil et Laya. Nalik était plus loin. Ils dormaient tous à poings fermés. Il y avait un feu de camp et les flammes prenaient l'aspect d'un serpent à plumes: c'était Itzamnà.

Pakkal se sentait dans une forme resplendissante. Cela faisait un grand contraste avec l'extrême fatigue qu'il avait ressentie avant de s'endormir. Il se releva et se plaça devant les flammes.

– Itzamnà? demanda-t-il.

– K'inich Janaab Pakkal, répondit la flamme, l'heure est grave. Il te faut libérer les guerriers célestes. Mais Ah Puch a déjà envoyé ses chauveyas pour retrouver la petite Neliam. Selekzin est parvenu à ensorceler Laya et elle lui a révélé tes plans. C'est lui qui a la poupée. Les soldats du Monde inférieur découvriront bientôt l'endroit où la fillette se trouve.

Pakkal se sentit abattu par ces mauvaises nouvelles.

– Que puis-je faire? demanda-t-il. Hunahpù est déjà couché et il va se lever dans peu de temps. Ah Puch attaquera Palenque. Nous ne pourrons pas résister à son armée.

– Ah Puch est parvenu à accélérer le coucher de Hunahpù, mais, maintenant, il n'a plus aucun contrôle sur lui. Mets ta main dans le feu.

– Quoi? fit le prince.

– Mets ta main dans le feu.

– Je vais me brûler.

Le serpent à plumes répéta son ordre. Pakkal se demanda où il voulait en venir. Il s'était déjà brûlé, il savait à quel point c'était douloureux. Malgré tout, il fit confiance à Itzamnà. Il leva son bras et le passa sur les flammes. Il fut surpris de constater que cela ne lui faisait pas mal. Il le fit pénétrer plus profondément dans le feu.

Tout à coup, on lui empoigna la main. Il sursauta et tenta de la retirer, mais il n'y parvint pas.

– N'aie pas peur, K'inich Janaab Pakkal, déclara Itzamnà. Il a besoin de ton aide.

Pakkal tira de toutes ses forces. Il vit une main sortir du feu, puis un bras, un torse et une tête. Un être émergea totalement des flammes. Il était grand et musclé. Il portait deux bracelets de jade. Sa tête était surmontée d'une couronne constituée de plumes de quetzal.

– K'inich Janaab Pakkal, dit le serpent à plumes, je te présente Hunahpù. Il t'aidera à libérer les guerriers célestes.

Le garçon avait du mal à croire qu'il avait sous les yeux l'un des Jumeaux héroïques, ceux-là mêmes qui avaient affronté de multiples périls à Xibalbà et qui étaient devenus le Soleil et la Lune. Le grand Hunahpù se tenait devant lui, en chair et en os.

– Ah Puch ignore que la nuit durera longtemps, annonça Itzamnà.

– Aussi longtemps qu'il le faudra, ajouta Hunahpù.

Il tourna son visage vers le ciel. Il avait une mâchoire carrée et un large front qui lui donnaient un air de guerrier.

– Mon frère, Xbalanqué, restera dans le ciel tant et aussi longtemps que cela sera nécessaire.

Hunahpù se tourna vers Pakkal.

– Je veux que tu saches que tes aptitudes au jeu de balle m'ont toujours impressionné.

– Merci, fit le prince.

– Tu seras un grand dieu, Pakkal. C'est un honneur de faire équipe avec toi.

Le Soleil tendit sa main. Elle était énorme et semblait puissante. Pakkal y posa la sienne. Hunahpù lui sourit.

– Prépare-toi à t'amuser.

Le garçon ne savait pas quoi répondre. Il était trop impressionné.

– Avant de partir, dit Itzamnà à Pakkal, tu dois fouiller Nalik. Il possède un objet qui te servira.

Le père des dieux disparut. Quelques instants plus tard, Katan se posa. Énervé, il lança :

– Prince Pakkal, je suis heureux de…

Il s'interrompit et dévisagea Hunahpù.

– Qui est-il ? demanda-t-il, suspicieux.

– Je suis Hunahpù. Tu es le grand Katan ?

Le chef de l'armée de Calakmul se bomba involontairement le torse.

– Oui.

– J'ai eu beaucoup de plaisir à assister à tes exploits. Tu es divertissant.

Katan regarda Pakkal.

– Divertissant ?

– Toujours. Tu mets tant de cœur dans tout ce que tu entreprends.

– Oui, euh… eh bien, balbutia Katan, j'imagine que c'est gentil de ta part.

Il se tourna vers Pakkal.

– Je suis heureux de constater que tu es enfin réveillé, déclara-t-il.

L'homme-chauveyas expliqua au prince qu'après avoir mis les membres de l'Armée des dons en lieu sûr, il était parti récupérer son arme. C'était à ce moment qu'il avait vu que Selekzin possédait la poupée que l'on devait remettre à Neliam. Ah Puch avait par la suite ordonné à ses soldats de trouver la petite fille. Katan croyait qu'il avait capté le message parce qu'il était aussi un chauveyas. Les soldats de Xibalbà s'étaient envolés et étaient partis à la recherche de Neliam. Il avait fait de même, mais ses recherches n'avaient rien donné.

– Nous devons trouver Neliam avant les chauveyas, conclut-il. Sinon, je crains qu'il n'arrive une tragédie.

– J'ignore où elle est, répondit Pakkal. Nalik m'a dit qu'il avait fait la connaissance d'un homme dans le ventre de Cabracàn qui l'avait déjà rencontrée. Peut-être est-il au courant.

Hunahpù intervint :

– Posez-moi la question. Je sais où se trouve la petite Neliam. Vous voulez que je vous y amène?

Pakkal fut soulagé d'apprendre qu'il n'aurait pas à parcourir tout le royaume maya pour découvrir où se cachait Neliam. C'était comme chercher une fourmi avec une patte en moins dans une fourmilière.

– On doit se dépêcher, je crois qu'ils l'ont trouvée, dit Katan en pointant l'horizon du doigt.

Le prince vit dans le ciel des milliers de chauveyas converger vers le même point pour rentrer au bercail. En effet, s'ils revenaient, c'était sûrement parce que leur mission était accomplie.

– Il n'y a pas de temps à perdre, affirma le Jumeau.

Il posa un genou sur le sol et croisa ses deux poignets afin que les bracelets se touchassent. Un petit feu apparut sous ses pieds, puis grossit jusqu'à devenir une boule de flammes ardentes.

– Entrez, ordonna Hunahpù.

Pakkal n'hésita pas un seul instant et se dirigea vers la boule de feu. Mais avant d'y pénétrer, il songea à ce qu'Itzamnà lui avait dit : il devait fouiller Nalik, puisqu'il possédait un objet qui allait lui être utile.

Il recula et courut jusqu'à la Fourmi rouge, qui dormait plus loin. Il trouva, sous sa ceinture de tissu, une mèche de cheveux. Il continua à chercher, mais ce fut la seule chose qu'il découvrit. Il la plaça dans sa sacoche.

Katan l'intercepta alors qu'il allait rejoindre Hunahpù.

– Tu vas vraiment entrer là-dedans ?

– Ne craignez rien, suivez-moi.

Le prince se jeta dans la sphère enflammée. Il se retrouva avec Hunahpù. À l'extérieur, le chef de l'armée de Calakmul hésita. Puis il donna un coup sur le sol avec son arme et pénétra dans le feu.

Les voyageurs ne s'en rendirent pas compte, mais dès que Katan eut mis les pieds dans la boule de flammes, celle-ci disparut du sommet de la colline où elle était initialement et se matérialisa aussitôt dans une forêt.

Hunahpù sortit. Pakkal voulut le suivre, mais Katan posa une main sur sa poitrine pour l'arrêter.

– Laisse-moi y aller en premier. On ne sait jamais.

L'homme-chauveyas quitta à son tour la sphère de feu. Quelques instants plus tard, il réapparut.

– Tu peux venir, la voie est libre.

La boule de feu se volatilisa dès que son dernier occupant s'en éloigna. Hunahpù fit à Pakkal un signe de la main.

– Par ici, prince Pakkal.

– Où sommes-nous? demanda le garçon.

– La cité la plus proche est Uxmal.

Ce nom était inconnu à Pakkal. Cette ville devait être fort loin de Palenque.

– C'est ici que se trouvent les Marches perpétuelles, poursuivit le Jumeau.

– C'est la première fois que j'en entends parler.

– Moi aussi, fit Katan.

Tout en continuant à marcher, Hunahpù leur expliqua:

– Les Marches perpétuelles ont été construites par Neliam pour qu'un jour elle puisse aller rejoindre son père, qui est le chef des guerriers célestes. Elles sont sans fin pour ceux qui n'ont pas été invités à y grimper.

– Elles ne mènent nulle part? lança Katan.

– Voilà, elles ne mènent nulle part, sauf vers la mort, puisque même si l'on tente de les monter, elles sont éternelles. Dès qu'on y met le pied, on est condamné. Les guerriers célestes ne tolèrent aucun importun.

— Sauf si on a obtenu la permission de Neliam, ajouta Pakkal.

— Elle ne l'a jamais donnée, cette permission. D'ailleurs, la voilà.

Pakkal vit une fille qui, agenouillée, faisait des dessins sur le sol avec un bâton. Même dans l'obscurité, elle paraissait avoir une chevelure magnifique.

Hunahpù s'approcha d'elle.

— Bonjour, dit-il.

Neliam leva la tête. Ses traits étaient harmonieux et elle esquissa le plus beau sourire que Pakkal eût jamais reçu.

— Bonjour. Est-ce que vous avez vu ma poupée?

Le prince décida de prendre la parole.

— Bonjour, Neliam. Je me nomme K'inich Janaab Pakkal...

La petite fille mit sa main devant sa bouche et ricana.

— Tu t'appelles «bouclier». C'est drôle.

— Je sais, répondit Pakkal.

— Tu as ma poupée? demanda-t-elle tout en continuant à tracer des formes indistinctes sur le sol.

— Non, je n'ai pas ta poupée, je suis désolé. Je suis venu ici pour...

Neliam le coupa:

– Alors, ce n'est pas nécessaire d'insister pour me parler. Je veux ma poupée.

– Je sais où elle est, cependant. C'est un ami à moi qui l'a retrouvée, mais quelqu'un la lui a volée. Je sais que tu ne veux révéler la présence des Marches perpétuelles que tu as construites qu'à celui qui va te redonner ta poupée, mais tu dois faire une exception pour moi.

– Pourquoi? fit-elle sur un ton indifférent.

– Parce que le Monde inférieur a envahi notre monde et qu'il veut détruire la Quatrième Création. On m'a demandé de créer l'Armée des dons pour la protéger. Ma cité est en danger et si je n'arrive pas à parler à ton père et à persuader les guerriers célestes de nous soutenir, ce sera la fin pour nous.

– Donne-moi ma poupée et je te dirai où sont situées les Marches perpétuelles, insista Neliam.

Pakkal avait tenté de résumer l'histoire de la façon la plus simple et limpide possible en espérant convaincre la fillette. Mais il avait échoué, car elle était obstinée.

Katan se tourna.

– Vous avez entendu?

– Non, répondirent Hunahpù et Pakkal en même temps.

– Je crois qu'ils approchent. Je vais aller jeter un œil.

L'homme-chauveyas s'envola.

Si Selekzin donnait la poupée à Neliam et qu'elle lui révélait où se trouvaient les Marches perpétuelles, on pourrait faire une croix sur Palenque. Se disant qu'il devait persévérer avec la petite fille et, surtout, ne pas perdre contenance, le prince s'assit en tailleur à ses côtés.

– Que dessines-tu? lui demanda-t-il.

– Rien.

– Ton père te manque-t-il parfois?

– Oui. Il est au ciel.

– Le mien aussi est au ciel.

Pakkal se surprit lui-même. C'était la première fois qu'il évoquait la possible mort de son père. Pour ne pas les effrayer les jeunes enfants, on leur racontait que les défunts allaient dans le Monde supérieur. Ce n'était que plus vieux qu'ils apprenaient que le voyage des défunts se terminait dans le Monde inférieur et que seuls les rois et les reines devenaient des dieux et accédaient au Monde supérieur.

– Es-tu triste, parfois? l'interrogea Neliam.

– Oui, souvent.

– Moi aussi, dit-elle.

Ce fut alors que Pakkal entendit un cri qui ressemblait à celui d'un bébé naissant. Un mandibailé, songea-t-il.

Hunahpù se retourna.

– Où est-il?

– Je ne sais pas, mais nous devons filer.

Pakkal attrapa le bras de Neliam et la tira. Le mandibailé ne cessait de pousser des cris. Le prince constata qu'il n'y en avait pas qu'un. Ses compagnons et lui étaient entourés de ces mouchards.

Hunahpù et Pakkal interrompirent net leur élan lorsque des chauveyas se posèrent autour d'eux pour les cerner. Le garçon se plaça devant Neliam pour la protéger. Buluc Chabtan, à cheval sur un soldat de Xibalbà, atterrit, suivi de Troxik et de Selekzin. Il descendit du chauveyas et traversa le cercle qui maintenait le Jumeau et le prince prisonniers. Lorsqu'il vit que Hunahpù accompagnait Pakkal, il recula d'un pas.

– Salut, Buluc, dit Hunahpù qui ne semblait aucunement impressionné par tous les suppôts de Xibalbà qui les entouraient.

– Que... que fais-tu ici? lança le dieu de la Mort soudaine.

Un autre chauveyas se posa. Celui-là portait Ah Puch sur son dos. Buluc Chabtan se précipita vers lui pour l'avertir de la présence du Jumeau.

Les yeux de Neliam se posèrent sur ce que Selekzin tenait dans ses mains.

– Ma poupée!

Elle parvint à échapper au prince et se jeta sur Selekzin. Pakkal tenta de la rattraper, mais en vain. Elle arracha la poupée des mains de Selekzin et la serra dans ses bras.

– Ma poupée…

Ah Puch s'approcha. Buluc Chabtan le suivait.

– Salut, Puch! fit Hunahpù.

Selekzin se pencha et demanda à Neliam:

– Dis-moi où se trouvent les Marches perpétuelles.

– Non.

– Non?

– Bouclier m'a révélé que vous vouliez faire mourir notre monde.

Le fils de l'ancien grand prêtre jeta un regard mauvais au prince.

– Bouclier raconte n'importe quoi. Les Marches perpétuelles, où sont-elles?

– Je ne te le dis pas.

Selekzin mit ses mains sur les épaules de Neliam et la secoua. La petite fille avait les yeux grands ouverts de frayeur.

– Je t'ai rapporté ta fichue poupée, alors tu vas me dire où se trouvent les Marches perpétuelles.

– Hé! hurla Hunahpù.

Il se rua sur Selekzin et le repoussa violemment. Celui-ci fut projeté sur des chauveyas qui le maintinrent debout. Avant qu'il ne pût répliquer, Ah Puch posa sa lance sur son torse pour l'en empêcher.

Neliam pleurait dans les bras de Hunahpù.

– Tu es méchant! cria-t-elle à Selekzin, le visage inondé de larmes.

Elle saisit l'épaule de Pakkal et le tira pour qu'il se penchât vers elle. Elle lui indiqua à l'oreille l'endroit où se situaient les Marches perpétuelles.

– Que viens-tu de lui dire? lança Selekzin.

– Ça te regarde? rétorqua Hunahpù.

– Je vais t'anéantir, siffla le démon, enragé.

– Demande à Buluc et à Puch ce qui s'est passé la dernière fois que je les ai vus avec mon frère. Demande-leur qui, ici, est le plus susceptible d'anéantir qui.

Le prince savait maintenant où trouver les Marches perpétuelles. Elles étaient «entre les deux grosses têtes en pierre». Il aurait bien voulu demander davantage de précisions, mais ce n'était ni le lieu ni le temps.

Avec un rictus de haine qui laissait entrevoir ses dents pourries, Selekzin se jeta sur Hunahpù.

Ce dernier colla ses bracelets l'un contre l'autre, et son corps s'enflamma. Lorsque son adversaire entra en contact avec lui, ses vêtements s'embrasèrent. Il se mit à hurler et à se rouler par terre. Le Jumeau s'éteignit et se tourna vers Troxik, Buluc Chabtan et Ah Puch.

– Vous avez cru qu'en me faisant disparaître plus rapidement dans le ciel vous pourriez me faire réapparaître plus vite. Mais vous n'auriez jamais cru me voir en personne si tôt, n'est-ce pas?

Pakkal voulait partir à la recherche des deux têtes sculptées. Mais, avant, il devait semer Ah Puch et sa bande. Il avait la lance de Buluc Chabtan dans sa ligne de mire. Le dieu de la Mort soudaine et du Sacrifice n'était qu'à quelques enjambées de lui. S'il parvenait à attraper son arme, le prince serait capable, à l'aide des éclairs de Chac, de se sortir de ce mauvais pas.

Il songea alors au jade intemporel. En immobilisant le temps, il pourrait atteindre la lance. Lentement, il tendit sa main vers sa sacoche. Troxik s'en rendit compte et le pointa du doigt.

– Ne bouge pas, aboya-t-il.

Pakkal leva les bras et fronça les sourcils, feignant de ne pas comprendre pourquoi le seigneur de la Mort lui disait cela.

Selekzin se releva. De la fumée se dégageait de ses vêtements. La tension était à couper au couteau. Ces démons pouvaient attaquer d'un moment à l'autre, et le prince n'avait aucune idée de la façon dont il allait s'en tirer. Il avait des papillons dans l'estomac, même si Hunahpù ne semblait pas du tout inquiet.

– Prépare-toi, lui murmura ce dernier.

Pakkal n'eut pas le temps de se demander à quoi, au juste, il devait se préparer. Le Jumeau mit un genou par terre et colla ses bracelets. Neliam et lui furent aussitôt absorbés par une boule de feu. Le prince s'y précipita. Lorsqu'elle se désagrégea, ils n'étaient plus entourés par des chauveyas. Ils se trouvaient ailleurs dans la forêt.

Hunahpù tenait Neliam dans ses bras.

– Où sont les Marches perpétuelles? lança-t-il.

– Elle m'a dit qu'elles se trouvent à côté des têtes en pierre. Vous savez où c'est?

– Des têtes en pierre? Il y en a beaucoup.

Hunahpù déposa Neliam et lui demanda quelle direction ils devaient prendre pour s'y rendre. Elle leva le bras et pointa le doigt devant elle.

– C'est par là?

En regardant l'endroit qu'elle indiquait, Pakkal aperçut Ah Puch. Puis il reçut un

violent coup dans le dos et glissa sur le sol.
On abattit un pied sur son dos. En relevant
la tête, il vit un chauveyas s'emparer de Neliam
et l'amener à Ah Puch. Le roi de Mitnal posa
l'anneau de son bâton sur la chevelure de la
petite fille. Celle-ci, immédiatement, se mit à
hurler.

· ☼ ·

Un pied écrasa le visage du prince contre
le sol.

– Tu ne bouges pas.

Pakkal reconnut la voix de Troxik. Les cris
perçants de Neliam lui fendaient le cœur. Il
devait aller à sa rescousse.

– Lâchez-la, tonna-t-il. Elle n'a rien fait de
mal.

Il vit Hunahpù être assailli par des dizaines
de chauveyas. Un visage apparut dans le
champ de vision du prince. C'était celui de
Selekzin. Pakkal pouvait sentir son haleine
putride.

– Ah Puch saura lui faire dire où sont les
Marches perpétuelles.

– Je vais vous le dire! s'écria le prince.

– Il nous faut sa permission pour y aller,
tu te rappelles?

Pakkal ne pouvait pas voir ce que ces monstres faisaient à la petite fille, mais elle semblait souffrir le martyre. Ayant déjà subi le supplice de l'anneau d'Ah Puch, il savait à quel point cela pouvait être douloureux.

Neliam hurlait sans cesse.

– Vous allez la tuer, dit Pakkal. Arrêtez !

– Et si c'était ce qu'on voulait ? demanda Selekzin avant de se relever.

Le prince sentit en lui les premiers symptômes annonçant sa transformation. Il tenta de les réprimer, mais les cris de Neliam lui faisaient perdre l'esprit. Troxik mit plus de poids sur son pied qui était appuyé sur la tête de Pakkal. Ce dernier serra les poings et ferma les yeux. Céder à l'autre partie de son Hunab Ku le soulageait. La colère qu'il ressentait s'infiltrait dans tous ses muscles et multipliait leur force. Il devenait Chini'k Nabaaj. Il était Chini'k Nabaaj.

Avec ses mains, il s'écarta du sol si brusquement qu'il fit chuter Troxik. Il se releva d'un bond. Ah Puch tenait Neliam, avec son anneau, à quelques centimètres au-dessus de l'herbe. Sa poupée était par terre. La fillette ne criait plus. Ses membres semblaient mous, sans vie.

Chini'k Nabaaj avança vers Ah Puch qui le regarda d'un air étonné. Le démon redressa son bâton et Neliam s'effondra sur le sol. Chini'k Nabaaj la prit dans ses bras. Elle n'eut aucune réaction. Ses yeux étaient mi-clos. Elle était morte.

Ah Puch claqua des dents, ce qui était sa façon bien à lui de rire. Chini'k Nabaaj déposa délicatement Neliam, mais, avant de pouvoir s'attaquer au dieu des seigneurs de la Mort, il fut arrêté par Troxik qui le souleva dans les airs et le lança à bout de bras. Il atterrit brutalement sur le sol. Il tenta de se relever, mais ses bras et ses jambes s'enfonçaient dans la terre.

Troxik s'approcha tranquillement de lui.

— Je ne peux pas croire que ce sera si facile…

Chini'k Nabaaj, de toutes ses forces, essaya de s'extirper de son enlisement, mais on le tirait vers le bas, inéluctablement, comme si des mains vigoureuses le gardaient prisonnier.

Le quatrième seigneur de la Mort lui flanqua un coup de pied au visage.

— Si tu es aussi puissant qu'on le dit, comment se fait-il que tu ne puisses pas te sortir de ça? Vas-y, impressionne-moi.

Troxik lui balança un autre coup de pied, cette fois dans les côtes. Chini'k Nabaaj s'affaissa. Il tenta de serrer les poings pour demander à un quelconque insecte de lui venir en aide, mais il n'y arrivait pas parce que ses mains étaient paralysées.

Chini'k Nabaaj se redressa et fit de nouveau des efforts pour se dépêtrer de ce piège. Il poussa un cri pour se donner plus d'énergie : rien à faire.

Son tortionnaire appuya un pied sur son visage.

– Dire que tu voulais sauver la Quatrième Création…

– Assez !

Buluc Chabtan s'approcha.

– Laisse-le tranquille, lui ordonna-t-il.

– Je suis celui qui est parvenu à le capturer, je serai celui qui va le tuer.

– Personne ne le tuera. Ah Puch le veut vivant.

– Alors, laisse-moi le torturer un peu…

Troxik mit plus de pression sur son pied et colla la tête de Chini'k Nabaaj sur le sol.

– Laisse-le tranquille, répéta Buluc Chabtan.

Un rictus de perfidie sur les lèvres, Troxik déclara :

– Je veux l'entendre souffrir.

Il écrasa la tête de son prisonnier. Buluc Chabtan lui donna un coup de lance dans les jambes. Troxik poussa un cri et tomba à genoux. Avec son pied, Buluc Chabtan le fit culbuter sur le dos, puis posa la pointe de sa lance sur son cou.

– Tu sais que je n'hésiterais pas un seul instant à te transpercer. Cela me ferait même plaisir. Je pourrais ajouter une autre créature stupide à mon tableau de chasse.

Humilié, Troxik repoussa la lance de Buluc Chabtan, se releva et décampa. Il écarta violemment les quelques chauveyas qui se trouvaient sur son chemin.

La colère de Chini'k Nabaaj diminua suffisamment pour qu'il redevînt Pakkal. Le prince était en proie à une grande fatigue. Soudainement, il put dégager ses bras et ses jambes. Buluc Chabtan le prit par le collet et le remit sur ses pieds.

– Ne t'avise pas d'essayer de te sauver. Si on te rattrape, tu le regretteras.

– Vous ne pouvez rien me faire avant demain matin, répondit le prince.

– Nous ne pouvons pas t'envoyer à Xibalbà, tu as raison. Mais comme l'a dit Troxik, je connais quelques personnes qui aimeraient bien s'amuser avec toi. Moi le premier.

Buluc Chabtan le poussa jusqu'à Ah Puch. Pakkal songea qu'il n'allait jamais pouvoir s'habituer à l'odeur de pourriture que dégageaient les êtres du Monde inférieur.

En bougeant, Ah Puch fit tinter les cloches qu'il portait à son cou. Du dos de la main, il caressa la joue du garçon qui tourna la tête de dégoût. À ses pieds, il y avait Neliam.

– Mon frère croit que tu seras un seigneur de la Mort, affirma Buluc Chabtan. Et il se trompe rarement.

– Jamais, fit Pakkal en prenant soin de respirer par la bouche.

Buluc Chabtan resserra son étreinte autour du prince.

– Même si tu es parvenu à obtenir de l'aide de Hunahpù qui, soit dit en passant, s'est empressé de disparaître quand il a vu que les choses se corsaient, tes jours sont comptés. Bientôt, l'autre partie de ton Hunab Ku deviendra permanente. Tu seras puissant. Mais tu es jeune. Tu as encore beaucoup à apprendre.

Ah Puch claqua des dents.

– J'arrive à le contrôler, assura Pakkal.

– Ce sera de plus en plus difficile, jusqu'à ce que cela devienne impossible.

Le prince entendit quelqu'un s'approcher, mais ne tourna pas la tête.

– Tiens, tiens, dit Buluc Chabtan. Regarde qui vient de faire son apparition.

Sans ménagement, il fit pivoter Pakkal. Ce dernier eut un choc en voyant qui se trouvait là.

C'était sa mère, dame Zac-Kuk. Lorsqu'elle fut plus près, Pakkal remarqua que ses yeux étaient complètement noirs et sa peau, craquelée, comme un sol qui n'avait pas absorbé d'eau depuis longtemps. Cela l'épouvanta.

– Elle est jolie, n'est-ce pas? dit Buluc Chabtan.

– Maman, murmura Pakkal, la gorge serrée par l'affliction, que t'ont-ils fait?

Dame Zac-Kuk s'approcha et posa sa main sèche sur la tête de son fils. Elle dégageait, elle aussi, une odeur insupportable.

Était-il possible que ce soit sa mère? Le prince n'arrivait pas à y croire.

– Bonjour, petit singe.

Sa voix n'avait pas changé, contrairement à son apparence. Pakkal sentit son cœur se morceler. Petit singe! Elle l'avait appelé par son surnom. Elle avait donc des souvenirs de son ancienne vie. Le garçon était brisé.

– Pourquoi? fit-il.

– Il n'y a pas de pourquoi, répliqua dame Zac-Kuk. C'est comme cela.

Pakkal baissa la tête. Il n'avait aucune hargne en lui. Il était trop démoli pour en avoir.

– Tu viendras bientôt me rejoindre, ajouta sa mère.

– Non, répondit-il.

– C'est le seul choix logique, assura dame Zac-Kuk. Tu es né le même jour que la Première Mère, cela signifie que le Monde inférieur te réserve de grandes choses. Tu dois laisser l'autre partie de ton Hunab Ku te guider.

– Regarde ce qu'ils ont fait à cette petite fille, lança Pakkal en montrant Neliam. Elle était innocente.

Buluc Chabtan le tira pour l'emmener plus loin.

– Je vais te guérir, affirma le prince à sa mère.

– C'est toi qui es malade, petit singe, rétorqua dame Zac-Kuk.

– Un peu plus et tu vas me faire pleurer, dit Buluc Chabtan. Ces retrouvailles sont touchantes.

– Que lui avez-vous fait? demanda Pakkal.

– Nous? Rien. C'est elle qui a décidé de nous rejoindre.

– Je ne vous crois pas! C'est impossible!

– Tu comprendras bientôt. Demain, dans ta très chère cité, tu vas avoir la chance d'assister à l'affrontement entre ta mère et Ix Tab.

Ix Tab était un autre seigneur de la Mort. C'était la déesse du Suicide.

– Ces deux-là, elles ne peuvent pas se voir, poursuivit Buluc Chabtan. Chaque fois qu'elles se trouvent face à face, elles en viennent à s'arracher les cheveux. Ce sera très intéressant, comme rencontre. Je dois te dire que ta mère, lorsqu'elle est contrariée, peut faire preuve d'une violence inouïe. J'aime les femmes qui ont du caractère et un côté vicieux.

– Je trouverai un moyen de la délivrer.

– Pour l'instant, ferme-la, lui ordonna Buluc Chabtan.

Pakkal fut conduit au milieu d'un attroupement de chauveyas. Il y reconnut Selekzin qui le pointa du doigt lorsqu'il le vit.

– Bienvenue à Xibalbà, dit-il.

Les deux chiens du fils de l'ancien grand prêtre étaient couchés à ses pieds. Quand l'un d'eux leva la tête, il se mit aussitôt à gémir et se cacha derrière les jambes de son maître. L'autre fit de même.

– Ne te fais pas d'illusions, lança Selekzin. Il n'y a que mes idiots de chiens que tu parviens à terroriser.

Le prince décida de se taire. Il mit de côté la peine qu'il ressentait pour sa mère et songea plutôt à un moyen de se sortir de cette situation difficile. Il pouvait se dégager de l'étreinte de Buluc Chabtan et courir dans la forêt, mais il n'irait pas très loin, puisqu'il ne faudrait que quelques instants aux chauveyas pour le rattraper. Pour le moment, il n'y avait aucun moyen de s'en tirer. Il se dit qu'il devait rester calme et ne pas attirer l'attention.

Discrètement, Pakkal écouta la conversation entre Buluc Chabtan et Selekzin. En fouillant l'esprit de Neliam, Ah Puch était parvenu à savoir où se trouvaient les Marches perpétuelles, et ils allaient y dépêcher Cama Zotz et plusieurs de ses soldats afin d'éliminer les guerriers célestes.

Le prince reluquait la lance de Buluc Chabtan. S'il courait assez vite, il pourrait s'en emparer sans que l'on eût le temps de lui mettre la main dessus. Mais après? Même si elle avait gardé les pouvoirs que lui avait conférés Chac, jamais il ne serait en mesure d'affronter un si grand nombre d'ennemis.

Le vent se leva alors. Les feuilles des arbres bruissèrent. Pakkal entendit une voix. Celle de Xantac.

– Fonce, lui dit-elle.

Le garçon hésita. Foncer? Vraiment? C'était suicidaire!

– Fonce, répéta-t-elle.

Pakkal bondit en direction de Buluc Chabtan. Il mit la main sur sa lance et la lui arracha.

Le dieu de la Mort soudaine l'observa, ahuri. Le prince pointa l'arme dans sa direction.

– Chac! cria-t-il.

Un éclair jaillit de la pointe de la lance et vint frapper Buluc Chabtan en pleine poitrine. Il fut projeté haut dans les airs. Selekzin eut droit au même traitement. Un chauveyas sauta sur le dos de Pakkal, suivi d'un autre. Le jeune Maya hurla une autre fois le nom du dieu de la Pluie. Les chauves-souris géantes furent électrocutées.

C'était le tumulte. Des chauveyas couraient dans tous les sens, d'autres s'envolaient. Pakkal aperçut une brèche et décida de s'y faufiler. Il vit apparaître devant lui une boule de feu. Hunahpù! Il s'élança dans sa direction, mais Selekzin surgit devant lui.

– Pas si vite, Douze Orteils!

Le démon prit son élan pour flanquer un coup de poing au visage du prince, mais celui-ci réussit à l'esquiver. Pakkal passa la lance derrière les jambes de son assaillant et parvint à lui faire perdre l'équilibre.

– Prends ça! dit-il en pointant la lance vers son visage.

Une fulguration explosa à la figure de Selekzin qui, aussitôt, fut pris de convulsions. Pakkal se retourna. La boule de feu était encore là. Il jeta un œil au corps inanimé de

Neliam. Il ne pouvait le laisser là. Malgré les risques, il le prit et le posa sur une de ses épaules. Il avait fait le bon choix : il ne se buta plus à aucun obstacle et se jeta dans la boule de feu.

– Ce n'est pas trop tôt ! s'exclama Hunahpù.

– Ils l'ont tuée ! fit le prince en regardant le visage de la petite fille.

Hunahpù posa une main sur son front.

– Vous pouvez faire quelque chose ? demanda Pakkal.

– Non, répondit Hunahpù. Je suis désolé. Ils sont cruels.

Quelques instants plus tard, le Soleil dit :

– Nous sommes arrivés. Nous pouvons sortir.

Le jeune Maya mit le pied à l'extérieur. Devant lui se trouvaient deux énormes têtes sculptées. Et, entre elles, des marches de pierre qui s'élevaient vers le ciel et desquelles on ne voyait pas la fin.

Pakkal déposa Neliam derrière une des têtes sculptées.

– J'ai peine à croire qu'elle a pu construire cela, dit-il en regardant les marches. Pierre après pierre… C'est impossible. Elle était si menue.

– Et pourtant, elle l'a fait, répliqua Hunahpù. Elle a attendu longtemps la personne qui pourrait libérer son père. Et le jour où cette personne se présente, elle meurt. La cruauté du Monde inférieur est implacable.

– Nous allons devoir l'enterrer.

– Bien entendu. Mais, pour l'instant, recouvrons simplement son corps de pierres pour le protéger.

Une fois que ce fut fait, le prince et le Jumeau se postèrent devant les marches.

– Je crois qu'il ne reste plus qu'à y aller, dit Pakkal.

– Effectivement. Neliam t'a donné la permission ?

– Oui. Enfin, je crois.

Pakkal s'approcha de la première marche. Alors qu'il allait mettre le pied dessus, une voix déclara :

– Ce n'est pas tout d'avoir trouvé les Marches perpétuelles. Si tu n'as pas la permission d'emprunter cet escalier, tu ne pourras plus jamais remettre les pieds sur le sol.

Le prince recula. Il se tourna vers Hunahpù qui lui montra l'une des pierres sculptées.

Bouleversé par les événements, Pakkal n'y avait pas vraiment prêté attention jusque-là. Il observa les deux têtes avec stupéfaction: il n'avait jamais vu des pierres comme celles-là[2]. Elles étaient aussi hautes que lui et semblaient représenter le visage d'un souverain, car elles étaient surmontées de coiffures royales, également sculptées.

– J'ai eu la permission, répondit-il.

– C'est ce qu'ont affirmé tous les fous qui s'y sont aventurés, assura l'autre tête de pierre ciselée. Nous ne les avons jamais revus. Peut-être font-ils la fête avec les guerriers célestes.

Les deux sculptures s'esclaffèrent. Pakkal ne voyait pas ce qu'il y avait de drôle. Ne voulant pas se laisser impressionner par les deux têtes, il s'avança de nouveau.

– Pour la dernière fois de ton existence, salue cette terre, lança la tête de droite.

– Si j'étais toi, je l'embrasserais! ajouta celle de gauche.

Encore un éclat de rire.

Le prince se tourna et regarda Hunahpù qui avait un sourcil arqué par le scepticisme:

_____

2. Réaction normale de la part du prince, puisqu'il s'agit de têtes de pierre colossales sculptées par les Olmèques, une civilisation qui a précédé les Mayas (d'environ 1450 av. J.-C. à 50 av. J.-C.) et sur laquelle on possède peu de données.

il n'était donc pas le seul à saisir les obscures blagues des pierres sculptées qui avaient semé le doute dans son esprit.

Le sol se mit à trembler. Hunahpù laissa échapper :

– C'est mauvais signe. Cabracàn s'en vient.

Ce n'était effectivement pas une bonne nouvelle. Le Jumeau héroïque tira son jeune compagnon par la main.

– On ne doit pas rester ici.

– Neliam ! fit Pakkal.

– Nous n'avons pas le temps !

Hunahpù ne s'était pas trompé. Un pied géant vint s'abattre tout près d'eux. Ils coururent jusqu'à ce qu'ils trouvassent un tronc d'arbre tombé dans la forêt. Ils se cachèrent derrière. Plusieurs chauveyas atterrirent, suivis de Cama Zotz qui pointa les marches du doigt.

– Hum ! jolis pieds ! s'exclama l'une des têtes de pierre.

– Je croquerais bien dans l'un de ses ongles d'orteil, affirma l'autre. Des pieds, c'est vraiment la chose qui me manque le plus !

Cama Zotz cracha en direction des pierres sculptées. D'une seule main, Cabracàn les prit toutes les deux et les jeta au loin.

– En voilà deux qu'on ne reverra pas de sitôt, chuchota Hunahpù.

– On ne les entendra plus non plus, renchérit le prince. Que sont-ils venus faire ici ?

– Ils veulent t'empêcher de monter.

– Alors, pourquoi Cabracàn est-il là ?

Le géant abattit son poing sur les Marches perpétuelles. Il les cassa aisément.

– Nous avons la réponse à notre question, souffla Hunahpù.

Pakkal avait vite compris la tactique du Monde inférieur : détruire les marches afin de l'empêcher d'accéder aux guerriers célestes. Avec une facilité déconcertante, comme un gamin qui prend plaisir à démolir un château de sable qu'il n'a pas construit, Cabracàn anéantissait l'ouvrage de Neliam. Des centaines d'années de dur labeur étaient pulvérisées d'un seul coup.

Le prince et Hunahpù observèrent le géant qui fit s'écrouler les marches jusqu'à sa poitrine, ce qui représentait une hauteur considérable. C'était beaucoup trop haut pour Pakkal. C'est à ce moment qu'il trouva la solution à son problème.

Au même instant, un cri de bébé naissant se fit entendre. Un mandibailé venait de les détecter.

– Jamais facile, grommela le garçon.

Une dizaine de chauveyas partirent immédiatement à leur recherche.

– Je dois accéder aux marches, déclara Pakkal.

– Je sais, répondit Hunahpù, en position de défense. Mais comment y arriver?

– Couvrez-moi!

Les chauveyas chargeaient. Tandis que Hunahpù les repoussait en projetant des flammes de ses mains, Pakkal sortit de sa sacoche la crème qu'on lui avait donnée dans le Village des lumières. Il en appliqua sur les douze ongles de ses orteils.

– Merci! fit-il en fonçant vers les chauveyas, la lance parallèle au sol. Couvrez-moi encore, dit-il au Jumeau, je vais me rendre jusqu'aux marches!

Mais cela était plus aisé à dire qu'à faire. Plusieurs chauveyas avaient pris le prince pour cible, et les coups de gueule étaient nombreux. Chaque fois qu'il parvenait à se départir d'une de ces ignobles créatures, deux autres se jetaient sur lui.

Hunahpù joignit ses mains pour former une coupe. Des flammes brûlaient dans le creux de ses paumes. Il souffla dessus et elles ménagèrent un corridor de feu jusqu'aux marches.

– Vas-y! cria-t-il.

Pakkal se débarrassa des deux chauveyas qui le harcelaient et s'élança à toute vitesse dans le corridor de feu. Il parvint à l'endroit où, encore quelques minutes plus tôt, l'escalier commençait. De loin, la première marche semblait moins haute. Le prince recula et prit son élan. En sautant, il fut projeté haut dans les airs, la crème appliquée sur ses orteils aidant, mais pas assez pour atteindre les marches. Il en était loin.

Il retomba lourdement sur le sol, sonné.

– Attention! lui cria Hunahpù.

Le jeune Maya se tourna et vit une énorme masse sombre s'abattre sur lui.

Pakkal se rendit compte au dernier instant que c'était la main de Cabracàn qui s'abattait sur lui. Il ne put s'esquiver à temps; il était prisonnier. Avec sa lance, il piqua la paume du géant, mais sans résultat. La peau était trop épaisse. Il n'osa pas invoquer le nom du dieu de la Pluie, de crainte d'être électrocuté en raison du peu d'espace entre lui et le géant.

Le prince resta un bon moment sous la main du dieu des Tremblements de terre. Qu'attendait donc le géant pour la soulever? Pakkal connut la réponse assez rapidement.

Lorsque, enfin, Cabracàn le libéra, il constata qu'un comité d'accueil faisait le pied de grue, au nombre duquel Ah Puch, Troxik, Selekzin et Buluc Chabtan.

– Ma lance, fit le dieu de la Mort soudaine en tendant la main, rends-la-moi!

Pakkal se mit position d'attaque.

– Venez la chercher, dit-il.

Sans crier gare, Selekzin courut en direction du prince et posa la main sur l'arme: il reçut un choc et battit en retraite aussitôt.

– Idiot! s'écria Buluc Chabtan en le regardant souffler sur sa main. Il n'y a qu'un seigneur de la Mort qui peut y toucher sans être électrocuté.

– Vraiment? demanda Troxik. Laisse-moi essayer…

– Chac!

Une fulguration se dirigea vers le quatrième seigneur de la Mort, mais elle bifurqua et termina sa course au milieu de l'anneau du bâton d'Ah Puch. L'éclair avait été absorbé.

Buluc Chabtan s'avança vers Pakkal.

– Ma lance!

– Chac! fit une autre fois le garçon.

Même résultat: l'éclair alla mourir dans l'anneau.

– Abandonne, petit singe.

Pakkal se retourna et vit sa mère s'approcher de lui. Troxik profita de ce moment de distraction pour l'attaquer. Il bondit dans sa direction et le plaqua sur le sol. Le prince et le démon tenaient à deux mains la lance de Buluc Chabtan.

– Tu n'as aucune chance, fit Troxik.

Pakkal leva la jambe et flanqua un coup de genou entre les cuisses du seigneur de la Mort. Celui-ci ne sourcilla même pas.

– Il y a longtemps qu'il n'y a plus rien là, dit-il en ricanant.

Contre toute attente, le garçon relâcha la lance. Cela fit perdre l'équilibre à son adversaire. Pakkal se releva prestement et récupéra la lance que Troxik avait échappée en tombant. Puis il sauta très haut dans les airs et s'accrocha à la branche d'un arbre. Aussitôt, un chauveyas, pieds devant, le chargea. Le prince chuta. Or, dès que ses pieds touchèrent le sol, il se donna une autre impulsion. Cette fois, il visa Cabracàn qui avait un genou par terre. Il atterrit sur l'autre et s'en servit comme d'un tremplin pour essayer d'atteindre les Marches perpétuelles. Le géant, avec sa main, tenta de l'attraper. Mais Pakkal se faufila entre deux doigts et se posa sur la première marche.

Il se retourna, de crainte d'être la cible de Cabracàn. Il constata vite que l'environnement avait complètement changé. C'était encore la nuit. Devant lui, des marches qui montaient vers le ciel et desquelles on ne voyait pas la fin; derrière lui, d'autres marches qui, elles, descendaient à l'infini. Il comprenait maintenant pourquoi ces marches étaient dites « perpétuelles ».

Pakkal décida d'en entreprendre l'ascension. Il faisait bien attention de rester au centre. Il n'y avait aucun garde-fou et il savait qu'une chute lui serait fatale.

Il ne tarda pas à se rendre compte qu'il était désespérant de ne pas avoir d'objectif concret. Où se trouvait l'arrivée? Les muscles de ses jambes lui faisaient de plus en plus mal, de sorte que chaque marche était plus difficile à gravir que la précédente. Il s'arrêta. Un squelette jonchait une marche. Le prince songea qu'il s'agissait d'un malheureux qui s'était aventuré dans l'escalier sans y avoir été invité.

Une dizaine de marches plus loin, l'incertitude se mit à le tenailler: et si Neliam ne l'avait pas *vraiment* convié à escalader les Marches perpétuelles? Et si cette permission n'était valide qu'à la condition que la fille du chef des guerriers célestes fût encore vivante? Et s'il fallait se diriger vers le bas, et non vers le haut?

Des squelettes, Pakkal en rencontra plusieurs. Son désespoir s'accroissait un peu plus à chaque fois. Il s'assit sur une marche afin de reprendre son souffle. Son visage était couvert de sueur et il haletait. Il avait soif. Il regarda autour de lui; il n'y avait bien sûr aucune trace d'eau: seulement un ciel étoilé et des marches. Des centaines de marches. Des milliers.

Le prince emplit ses poumons d'oxygène et grimpa encore. Mais où étaient donc les guerriers célestes? Que fallait-il faire pour les rencontrer? À bout de souffle et assoiffé comme s'il venait de disputer la partie de *Pok-a-tok* la plus difficile de sa vie, il se rassit. Sa bouche était sèche et il avait désespérément besoin de se désaltérer. Il appuya sa tête sur une marche, puis regarda le ciel. Il admira les millions d'étoiles de la voûte, toutes plus brillantes les unes que les autres. Il n'avait pas la même vue que lorsqu'il était sur le sol. Il avait vraiment l'impression de s'être approché des astres.

Pakkal n'avait plus de salive dans la bouche et un vertige s'était insinué en lui. Il allait mourir là, sur les marches. Et un jour, comme lui qui avait découvert plusieurs squelettes en gravissant les marches, un autre «fou», ainsi que l'avait prédit la tête sculptée, allait découvrir le sien.

Désespéré, il prit la lance de Buluc Chabtan et la pointa vers le ciel. Il ne lui restait qu'une chose à faire : envoyer un signal de détresse en espérant que quelqu'un pourrait le secourir.

– Chac, dit-il.

Cela ne provoqua qu'une étincelle au bout de la lance. Le garçon rassembla toutes ses forces, puis cria :

– Chac !

Une fulguration surgit de la pointe de la lance et se dirigea vers le ciel. Quelques instants plus tard, elle termina sa course sur une étoile qui projeta d'autres éclairs dans toutes les directions, lesquels atteignirent les autres astres autour d'elle. Le ciel devint tout illuminé, strié par des éclairs qui ne cessaient de scintiller. Aveuglé, Pakkal protégea ses yeux avec son bras. Lorsqu'il le retira, il vit, dans le firmament, un gigantesque visage lumineux qui l'observait.

– J'ai soif ! cria Pakkal.

Le visage lumineux cligna des yeux.

– Qui es-tu ? demanda-t-il.

Pakkal avait du mal à parler tant sa bouche était sèche.

– Je suis K'inich Janaab Pakkal, prince de Palenque. Je viens vous demander votre aide.

– Nous ne voulons aider personne.

– Palenque est sur le point d'être attaquée.

Le visage lumineux disparut progressivement.

– Non! fit le prince. Ne vous en allez pas!

Son adjuration ne servit à rien. Le visage s'effaça complètement.

– J'ai la permission de Neliam, ajouta le jeune Maya en fermant les paupières.

– Neliam? Tu as dit «Neliam»?

Pakkal ouvrit les yeux. Il n'y avait plus de visage lumineux dans le ciel mais, sur une marche, au-dessus de lui, se tenait un homme. Chaque parcelle de son corps dégageait une lumière douce qui n'aveuglait pas.

– Oui, Neliam, répéta le prince.

– J'ai nommé ma fille ainsi, confirma l'être lumineux.

Pakkal était à bout de forces. Il devait absolument boire.

– J'ai soif, souffla-t-il.

– Dis-moi s'il s'agit de ma fille.

Le garçon avait la gorge en feu.

– Je dois boire, supplia-t-il d'une voix éteinte.

L'être lumineux esquissa un geste d'impatience. Il prit une gourde attachée à sa ceinture, en dévissa le bouchon et en versa le contenu sur le visage du prince en visant la bouche. Pakkal but longtemps. Ce n'était pas de l'eau. Il s'agissait d'un liquide plus sucré et plus épais. Le contenu de la gourde semblait inépuisable. Lorsqu'il eut étanché sa soif, le prince se redressa :

– Merci, dit-il.

Le liquide l'avait ragaillardi à une vitesse surprenante. Il se sentait maintenant en très grande forme, prêt à gravir encore des centaines de marches. Il toucha sa poitrine. Elle n'était pas mouillée, bien qu'une quantité considérable de liquide fût passée à côté de sa bouche.

– Qu'était-ce ? demanda-t-il.

– Ce n'est pas important, répondit l'être lumineux en rattachant sa gourde à sa ceinture. Parle-moi de ma fille.

Tandis qu'il avait son attention, Pakkal décida de lui exposer la raison pour laquelle il avait besoin de lui et de ses trois cent quatre-vingt-dix-neuf camarades.

– Au lever de Hunahpù, Xibalbà…

– Ma fille ! s'écria l'être lumineux, impatient.

– J'y viens, dit le prince. Lors de la prochaine apparition de Hunahpù, Chak Ek' sera en position favorable pour le Monde inférieur et ce dernier cherchera à nous anéantir. Je suis né le même jour que la Première Mère, et Itzamnà lui-même m'a chargé de former l'Armée des dons pour empêcher Ah Puch de détruire la Quatrième Création.

– Et ma fille ? insista l'homme.

Pakkal éluda la question.

– Les guerriers célestes représentent le dernier espoir qu'il nous reste. Je vous implore de venir à notre secours pour protéger ma cité et permettre à l'Armée des dons de poursuivre sa mission.

Avant que le chef des guerriers célestes ne demandât encore des nouvelles de sa fille, le prince aborda le sujet :

– Votre fille, Neliam, avait perdu la poupée que vous lui aviez offerte.

– Pourquoi ne t'a-t-elle pas accompagné ?

Pakkal savait que la réponse allait le rendre furieux. Il devait trouver un moyen pour éviter qu'il ne dirigeât sa colère contre lui.

– Nous avons retrouvé la poupée, mais ce n'est pas nous qui la lui avons remise. Ce sont les seigneurs de Xibalbà. Et parce qu'elle n'a pas voulu leur révéler où se situaient les Marches perpétuelles…

– Ils ne l'ont pas tuée ?

Le garçon n'avait pas le choix. Il ne pouvait plus louvoyer.

– Si...

L'être lumineux resta silencieux. Pakkal aurait préféré qu'il eût une réaction. Le père de Neliam se retourna et commença à monter les marches.

– Non! cria le prince. Ne vous en allez pas!

L'homme ne s'arrêta pas. Pakkal le rejoignit et tenta de le retenir en accrochant sa ceinture, mais sans résultat: sa main passa au travers.

– Attendez! Ce n'est pas nous qui l'avons assassinée, mais les gens du Monde inférieur. Dès que je vais remettre les pieds dans le Monde intermédiaire, je lui offrirai des funérailles dignes de ce nom.

Le chef des guerriers célestes se retourna. Son visage était inexpressif.

– À quoi bon revenir en bas si ma fille n'y est plus?

– Si vous ne nous aidez pas, Xibalbà obtiendra la victoire, et la mort de votre fille n'aura plus aucune signification.

– Depuis que Zipacnà nous a projetés ici, il n'y a pas une seule nuit où je ne pense pas à ma fille.

– Elle aussi espérait de tout son cœur vous revoir, dit le prince. Elle a construit les Marches perpétuelles pierre après pierre. J'aurais aussi voulu vous réunir, mais je n'ai pas pu.

Différents visages formés d'étoiles apparurent dans le ciel.

– Et s'il mentait? lança l'un.

– Et si c'était lui qui avait tué votre fille? demanda un autre.

– Si nous y retournons, ajouta un troisième, vous pouvez compter sur moi, ce chien de Zipacnà va le regretter.

– Non! fit Pakkal.

Il exhiba la lance qu'il tenait dans sa main.

– Je me suis emparé de la lance de Buluc Chabtan, la seule arme qui puisse venir à bout d'un seigneur de la Mort. Je les terrasserai les uns après les autres pour sauver la Quatrième Création.

– Qui me dit que tu as même déjà rencontré ma fille? demanda l'homme lumineux avant de disparaître.

Pakkal ouvrit alors sa sacoche et en sortit la mèche de cheveux qu'il avait trouvée sous la ceinture de Nalik.

– Venez voir! En voici une preuve.

Les visages réapparurent. Le père de Neliam se tenait maintenant plus bas dans l'escalier. Le prince lui tendit la mèche. Lorsque l'homme la prit, sa main se matérialisa. Il l'approcha de son nez et la huma.

– Neliam, souffla-t-il.

En regardant par-dessus l'épaule de l'homme, Pakkal vit, plus bas, un être qui grimpait les marches.

De longs bras et de longues jambes. Mince. Grand.

C'était Troxik, le quatrième seigneur de la Mort.

Les grandes jambes de Troxik lui permettaient de grimper les marches trois par trois. Le père de Neliam se retourna.

– Qui êtes-vous? cria-t-il.

Mais le seigneur de la Mort ne répondit pas. Il poursuivit son ascension.

– C'est Troxik, s'interposa Pakkal. Il veut vous anéantir et vous empêcher de venir en aide à Palenque.

L'homme lumineux prit la mèche de cheveux et la colla à sa poitrine. Puis il disparut. Le prince était maintenant seul avec Troxik. Il serra la lance de Buluc Chabtan. Il devait se montrer prudent: les marches n'étaient pas larges. Si son adversaire le poussait dans le vide, il craignait de chuter pour l'éternité.

Troxik s'arrêta à une dizaine de marches de Pakkal. Il n'était même pas essoufflé.

– Tu croyais pouvoir t'en sortir en te sauvant? demanda-t-il.

– Non, répondit le garçon en appuyant un de ses pieds sur une marche plus haute, s'assurant ainsi d'être le plus stable possible.

– Hunahpù est retourné là où il habite, affirma Troxik. Le jour se lève sur Palenque.

Pakkal songea que le seigneur de la Mort mentait afin de précipiter les choses et de le forcer à commettre une bévue. Il ne devait pas se laisser embobiner : Hunahpù savait quelles seraient les conséquences de son apparition.

– L'armée de Xibalbà est maintenant tout près de ta cité. Des gens vont mourir. Des gens que tu connais : ta grand-mère, les soldats de l'Armée des dons, tes citoyens. Ils seront tous massacrés.

Le prince sentit la colère monter en lui. Il devait se contrôler. S'il devenait Chini'k Nabaaj, il ne pourrait plus utiliser la lance et il ne pourrait plus jamais, peut-être, renverser le processus.

– Que viens-tu donc faire ici si Palenque est sur le point d'être attaquée?

– Je viens te chercher. Ah Puch t'attend. Il a déjà eu ta mère, et maintenant il te veut.

Pakkal savait que Troxik essayait de le déstabiliser pour lui faire prendre son sang-froid. Il ne devait pas entrer dans son jeu.

– Tu ne sortiras jamais d'ici, rétorqua le prince. Neliam ne t'a jamais donné la permission de monter les Marches perpétuelles. Tu vas finir comme ces squelettes que tu as croisés.

Il n'en fallut pas plus pour faire bondir Troxik. Le prince réagit aussitôt en levant sa jambe très haut pour lui asséner un coup de pied. Le démon reçut son pied en plein ventre, mais l'agrippa. Pakkal pointa sa lance entre ses deux yeux et cria le nom du dieu de la Pluie.

Le seigneur de la Mort reçut une décharge qui lui fit lâcher le pied de son adversaire. Ce dernier fut étonné de le voir rester debout. Son crâne dégageant de la fumée, Troxik releva le menton et le regarda.

– Tu mériterais le même sort que la petite Neliam. Ah Puch devrait te faire mourir de peur.

Des visages apparurent dans le ciel.

– Vous avez entendu? Il vient de dire qu'Ah Puch a tué Neliam.

– Oui, j'ai entendu.

– C'était parfaitement clair.

Troxik empoigna la gorge de Pakkal et le souleva. Le garçon étouffait.

– Tu sais ce que je vais faire? Je vais dire à Ah Puch que je n'ai pas pu te ramener avec moi parce qu'il y a eu un accident. Je vais te faire mourir ici. Mais, avant, je dois récupérer la lance...

Le prince prit sa lance à deux mains et piqua le seigneur de la Mort dans l'épaule. Celui-ci poussa un cri et le relâcha. Il mit sa main sur son épaule et tomba à genoux. Il grognait de douleur. De sa plaie émergeaient en ondulant d'horribles insectes que Pakkal n'avait jamais vus. Ils étaient longs, noirs et gluants. Ils semblaient avoir une tête de lézard. Ils se déplaçaient vite, comme s'ils étaient pris de panique.

– Tu vas me le payer!

Troxik saisit la jambe du jeune Maya, fit demi-tour et le projeta dans les marches. Pakkal en débdoula quelques-unes avant de pouvoir s'accrocher à l'une d'elles. Le démon fonça sur lui. Il lui prit le cou et le propulsa encore une fois dans l'escalier, mais avec encore plus de violence. Le prince parvint à s'agripper à une autre marche, mais ses jambes se balançaient dans le vide. Rapidement, en cherchant une prise avec ses pieds, il essaya de remonter tout son corps sur la marche. Mais Troxik arriva avant. Il tendit la main.

– Donne-moi la lance et je te sauverai.

– Si tu la veux, viens la récupérer, l'enjoignit Pakkal, dont l'arme était coincée en dessous de lui.

L'oiseau de proie tatoué sur la poitrine du démon fit claquer son bec. Troxik donna un coup de pied dans le visage de Pakkal qui recula. Il n'y avait maintenant plus que le haut de son corps sur l'escalier.

Il ferma les yeux et hurla :

– Chac !

Derrière ses paupières, il vit des flashes. Des picotements envahirent son corps. Lorsqu'il rouvrit ses yeux, il aperçut Troxik étendu de tout son long sur les marches. Le seigneur de la Mort ne bougeait pas, mais de son corps émanait de la fumée noire.

Pakkal se contorsionna pour remonter sur l'escalier. Il avait mal à la mâchoire et à une cuisse, mais c'était, pour l'instant, les seuls dommages qu'il pouvait constater. Il grimpa les marches qui le séparaient de Troxik. Celui-ci gisait, inanimé. Sa plaie libérait encore des insectes à tête de lézard qui, ne sachant où aller, fuyaient dans toutes les directions.

Le prince prit une profonde inspiration et brandit la lance de Buluc Chabtan. Il devait s'assurer que Troxik ne pourrait plus jamais faire de mal. Soudainement, le démon releva la tête et lui asséna un coup de pied en pleine poitrine. Pakkal fut projeté dans les airs, chuta lourdement sur l'escalier et culbuta. Il perdit le contrôle. Il déboulait de plus en plus vite dans les marches qui lui heurtaient les épaules, le dos, les hanches, les jambes et la tête.

Puis il ne sentit plus rien. Il se rendit compte qu'il avait quitté les Marches perpétuelles et qu'il tombait dans le vide.

Les premiers moments de la chute firent paniquer le prince. Il redoutait l'instant où il allait s'écraser sur le sol. Mais de sol il ne semblait pas y avoir. Pakkal s'habitua vite à cet état de chute éternelle. La vitesse à laquelle il tombait était trop rapide pour qu'il pensât se diriger vers les marches. Il estima que ses chances de survie étaient nulles.

Autour de lui apparurent des points lumineux qui tournoyaient. Ces points grossirent et devinrent des boules de lumière, puis se transformèrent en plusieurs êtres lumineux qui semblaient tomber avec lui.

– Nous vous croyons, dit l'un des êtres.

– Vous n'avez pas tué Neliam, ajouta un autre.

– Le seigneur de la Mort est parvenu à attraper notre chef, Docatl. Vous devez le secourir.

Pakkal songea que Docatl devait être le père de Neliam. L'un des êtres lumineux lui tendit la main.

– Prenez-la et tenez-vous bien.

Le jeune Maya obéit. Dès qu'il posa sa main dans celle de l'homme de lumière, son corps prit la même apparence que son sauveur : il devint évanescent et brillant, comme une étoile. Puis l'être, lentement, ralentit sa chute jusqu'à la stopper complètement.

– Vous êtes prêt ? lui demanda-t-il.

– Prêt à quoi ?

Pakkal sentit que l'homme lumineux serrait sa main plus fort.

– Prêt à ça !

À une vitesse phénoménale, tous deux filèrent vers le haut. Ils allaient si vite qu'ils n'étaient plus que des traînées de lumière, des étoiles filantes.

Le prince sentit une forte décélération, puis il aperçut Troxik tenant Docatl par le cou. Dès que l'être lumineux le déposa sur l'escalier, il retrouva sa constitution normale. Il grimpa les marches deux à deux pour se porter au secours du père de Neliam.

– Troxik !

Le seigneur de la Mort relâcha Docatl qui s'effondra en se tenant le cou à deux mains et en reprenant son souffle.

– Encore toi! s'exclama-t-il, les dents serrées.

Son tatouage représentant un oiseau de proie battit des ailes. Pieds en avant, Troxik sauta en direction de Pakkal qui se pencha au dernier instant. Troxik passa au-dessus de lui et atterrit sur une marche. Le prince ne lui laissa pas la chance de revenir à la charge.

– Chac!

Une décharge jaillit de la lance. Le seigneur de la Mort la reçut dans le dos. Il se retourna et tenta d'éteindre le feu qui consumait sa peau. Le jeune Maya s'élança vers lui. La lance pénétra dans son torse et ressortit par son dos. Pakkal la retira immédiatement. Troxik laissa tomber ses bras et, d'un air hagard, le fixa. Le trou formé par l'arme laissa échapper encore une fois des insectes étranges. Le démon tenta de le boucher avec sa main, mais les insectes sortaient par son dos.

Il mit un genou par terre. Les insectes se comportaient différemment que lorsque la lance avait percé son épaule: ils restaient sur son corps. En fait, Pakkal s'en rendit compte rapidement, ils le dévoraient.

Le prince n'assista pas à l'agonie de Troxik. Il rejoignit Docatl qui se frottait le cou.

– Merci, fit-il.

Le prince remarqua qu'il tenait la poupée de Neliam dans ses paumes.

– Où l'avez-vous eue ? demanda-t-il.

– C'est de cette façon qu'il a réussi à m'attirer.

– Je suis désolé pour votre fille.

Docatl se redressa. Il leva les mains et dit :

– Guerriers célestes !

Des centaines de visages, de grosseurs différentes, apparurent dans le ciel.

– Guerriers célestes ! Il est temps pour nous de quitter notre demeure. Nous pouvons rester indéfiniment inutiles. Le prince de Palenque ici présent nous demande notre aide pour protéger sa cité contre le Monde inférieur qui a tué ma fille et a également attenté à ma vie. Êtes-vous prêts à m'accompagner à Palenque ?

– Oui, nous sommes prêts, répondirent toutes les voix en chœur.

Le père de Neliam se tourna vers Pakkal.

– Les quatre cents guerriers célestes sont maintenant à votre disposition, Pakkal, prince de Palenque.

– Merci.

– C'est moi qui vous remercie. Pour retourner chez vous, vous n'avez qu'à descendre les marches.

Docatl leva la tête. Il devint complètement lumineux, puis fila vers le ciel. Tous les visages rétrécirent pour se métamorphoser en points lumineux, en étoiles. Elles se mirent à bouger et filèrent dans différentes directions. Bientôt, le ciel fut tout à fait noir.

Pakkal entreprit de descendre l'escalier. Il s'arrêta aux restes de Troxik. En fait, il ne restait plus rien de son corps et les insectes avaient disparu, mais des morceaux de ses vêtements traînaient sur une marche ainsi que ses bijoux. Le prince décida de ramasser ses deux boucles d'oreilles, en guise de souvenirs.

Il continua sa descente, fier de ce qu'il venait d'accomplir. Il s'était débarrassé d'un premier seigneur de la Mort. Mais il ne doutait pas qu'un autre allait le remplacer sur-le-champ.

Enfin, Pakkal vit quelques arbres. Plus il descendait les marches, plus la forêt grandissait. Comme il l'avait deviné, Troxik avait bluffé : il faisait encore nuit. Hunahpù ne devait pas être très loin.

Le prince atteignit le bas de l'escalier en prenant soin de ne pas faire de bruit, de crainte qu'une mauvaise surprise ne l'attendît. Il n'y avait pas trace du Monde inférieur. Pakkal devait maintenant trouver un moyen de descendre sans se blesser, ce qui était un moindre souci en comparaison de ce qu'il venait de vivre.

Alors qu'il s'apprêtait à descendre encore, il entendit un bruit de rocher que l'on lançait sur un autre rocher. Il se coucha sur les marches. Sous lui, il y avait un homme aux cheveux noirs. Il portait une toque. Il était en train de retirer les pierres qui recouvraient le corps fragile de Neliam. Ne sentant chez lui aucune menace, Pakkal l'interpella.

– Bonjour !

L'homme leva la tête prestement, comme s'il venait de se faire prendre la main dans le sac. Lorsque son regard croisa celui du garçon, il esquissa un sourire. Le prince, pour sa part, sentit son cœur arrêter de battre.

Depuis le ventre de Cabracàn, Tuzumab avait assisté à la destruction d'une partie des Marches perpétuelles. Il avait décidé de revenir dans le Monde intermédiaire lorsqu'il avait vu, par une fenêtre qu'il avait créée, le prince de Palenque parvenir à grimper sur Cabracàn et à atteindre les marches. Il devait le rencontrer. Il devait lui parler.

Quelques instants plus tard, Tuzumab avait aussi vu Troxik s'engager dans l'escalier, puis il avait attendu que l'atmosphère se calmât pour imaginer une porte qui le mènerait à l'extérieur. Il avait réussi à s'échapper du ventre de

Cabracàn sans être repéré. Il s'était rendu au bas des Marches perpétuelles et, guettant le retour de Pakkal, il avait entrepris de déblayer les pierres de l'escalier qui étaient tombées afin de s'assurer qu'il n'y avait personne dessous. Lorsqu'il avait soulevé la première, il avait vu des cheveux. Il les avait immédiatement reconnus : c'étaient ceux de Neliam.

Il espérait qu'elle était encore vivante. Il tentait de retirer les pierres le plus rapidement possible.

– Neliam ? Est-ce que tu m'entends ?

Tuzumab dut se rendre à l'évidence : la fillette était sûrement décédée. Il en fut fort attristé.

Alors qu'il soulevait la dernière pierre qui couvrait le visage de Neliam, il sursauta lorsqu'on le héla :

– Bonjour !

Au-dessus de lui, là où les marches débutaient, se tenait un garçon de douze ans avec, à la main, une lance. C'était celui à qui il voulait tant parler. Il ne l'avait pas vu depuis tant d'années. Comme il avait grandi !

C'était K'inich Janaab Pakkal, le prince de Palenque. C'était son fils adoré.

À suivre dans
Pakkal – Le secret de Tuzumab

Pakkal
a besoin
de ton aide!

www.armeedesdons.com